D0267891

De Cupcakeclub
Het geheime recept

Marion van de Coolwijk schreef ook:

Ademnood

In de serie MZZLmeiden:

MZZLmeiden

MZZLmeiden en de paparazzi

MZZLmeiden on tour

MZZLmeiden verliefd

MZZLmeiden party!

MZZLmeiden gaan los

MZZLmeiden in Hollywood

MZZLmeiden winterlove

MZZLmeiden geheimen

MZZLmeiden BFF

Samen met Juliette de Wit:

Nerd alert

Nerd alert – H.E.R.O.

Marion van de Coolwijk

Het geheime recept

De Fontein

www.decupcakeclub.nl
www.marionvandecoolwijk.nl
www.defonteinkinderboeken.nl

Omslagafbeelding en -ontwerp: Miriam van de Ven
Illustraties: Miriam van de Ven
Grafische verzorging: Zeno

ISBN 978 90 261 3478 4
NUR 282, 283

Rare fratsen

WEETJE:

Het allereerste cupcakerecept werd in 1828 in Engeland opgeschreven door Eliza Leslie in haar kookboekje. Ze bakte kleine cakejes in een kopje (cup) voor bij de thee. Zo is de naam cupcake ontstaan.

'Wat doe jij nou hier?' Sep likt wat slagroom van zijn spatel. 'Het is vier uur in de morgen.'
Zilver staat in haar pyjama in de deuropening van de bakkerij. Ze wiebelt met haar tenen in haar sloffen. 'Ik kan niet slapen, pap.' Ze kijkt om zich heen. 'Is Boaz er nog niet?'
Haar vader schudt zijn hoofd. 'Nee, die zal zo wel komen. Hij is altijd een beetje laat.'
Zilver loopt naar haar vader toe. 'Mag ik meehelpen?' Ze kijkt naar de werktafel. Daar liggen lange stroken cake. 'Wat maak je?'
'Slagroomstammen.'
'Mmm, lekker.' Zilver steekt haar vinger in de kom met slagroom. Een grote klodder slagroom wiebelt op haar wijsvinger. Dan valt de klodder op de tafel.
'Hola, die slagroom heb ik nodig.' Sep schuift de kom naar achteren. 'En jij gaat naar bed, jongedame. Nog even slapen. Je moet straks naar school.'
'Maar pap...'

'Nu!' Sep kijkt streng.
Teleurgesteld draait Zilver zich om. Haar vader is in een niet zo goed humeur. Ze kan maar beter doen wat hij zegt. Als ze bij de deur is, hoort ze hem praten. Ze draait zich om en ziet dat hij aan het bellen is.
'Je zou hier om vier uur zijn, Boaz. Het brood moet de ovens in. Het krentenbrood moet nog gekneed worden. En de bestelling van mevrouw De Jager moet om negen uur klaar zijn.' Sep ijsbeert langs de bakkerstafel. 'Niets mee te maken. Je werkt hier en dus ben je op tijd. Zo moeilijk is dat toch niet?'
Zilver leunt tegen de deurpost. Dat is al de derde keer deze week. Boaz is leerling-bakker. Hij zit op de bakkersschool. Hij werkt een paar dagen in de week in de bakkerij van haar vader.
Zo leer je het vak.
Boaz wil graag bakker worden. Maar het lukt hem niet om vroeg op te staan. Bakkers moeten vroeg beginnen. Haar vader staat elke ochtend om drie uur

op om brood te bakken en taarten te maken. Die gaan dan diezelfde ochtend de winkel in, zodat de mensen vers brood en gebak kunnen kopen.
Zilvers ouders hebben een bakkerij met een winkel aan hun huis vast. Je kunt zo vanuit huis de winkel of de bakkerij in lopen. Zilver is vaak in de bakkerij. Het ruikt er zo lekker en ze vindt het fijn om haar vader te helpen. Haar ouders staan allebei in de winkel. Als het niet zo druk is, dan is mama thuis. En soms helpt Josje mee in de winkel. Ze is de oudste zus van Jan-Willem, haar overbuurjongen.
'Weet je wat, Boaz?' roept Sep door de telefoon. 'Je hoeft helemaal niet meer te komen. Je bent ontslagen!' Hij smijt zijn mobiel op de werktafel. Het apparaat schuift zo in de grote klodder slagroom. 'Ook dat nog!' Hij vist zijn telefoon uit de slagroom. Met zijn schort veegt hij hem schoon. 'Die jongen moet maar een ander vak gaan leren.'
Zilver zegt niks.
Haar vader schudt zijn hoofd. 'Nu zit ik met de gebakken peren. Hoe krijg ik alles op tijd klaar?'
Zilver grist een witte bakkersjas van de kapstok en trekt die aan over haar pyjama. 'Ik maak de taarten af, dan kun jij de broden bakken.' De toon

in haar stem maakt dat haar vader niet tegensputtert. Ze pakt een witte muts en zet die op haar hoofd. Behendig propt ze al haar haren in de muts. 'Zeg maar wat ik moet doen.' Zilver wijst naar de cakestroken. 'Slagroom erop?'
Haar vader knikt. 'Zeven slagroomstammen, drie lagen, nootjes rondom en fruit bovenop. Mevrouw De Jager wil geen chocoladeblaadjes.'
Zilver lacht. 'Oké, het komt allemaal goed, pap.'
Terwijl haar vader naar de ovens loopt en de platen met brooddeeg erin schuift, pakt Zilver de kom met slagroom. Met een spatel schept ze er wat slagroom uit. Ze smeert de room op de eerste strook cake. Een laag van precies één centimeter. Zilver heeft al geteld dat er 21 cakestroken zijn. Zeven taarten van drie lagen cake is 21. Gewoon de tafel van zeven. Of de tafel van drie. Dat blijft hetzelfde. Keersommen kun je omdraaien. Plussommen en minsommen niet. Ze smeert zeven stroken in met slagroom.
Dan pakt ze een lege strook cake en legt die op de laag slagroom. Cake, slagroom, cake. Het wordt

al een echte taart. Zilver legt op alle lagen slagroom een strook cake. Nu kan ze weer slagroom smeren. Voorzichtig, want de taarten mogen niet inzakken. Eindelijk kan ze de laatste laag cake erop leggen. Ziezo, zeven mooie slagroomstammen. Maar ze zijn nog wel wat kaal.
Eerst de nootjes. Ze smeert de taarten rondom in met een dun laagje slagroom. Dan pakt ze de schaal met nootjes. Ze veegt haar handen schoon en pakt een handvol nootjes. Voorzichtig duwt ze de nootjes tegen de zijkant van de taart aan. De nootjes blijven plakken in de slagroom.
Even later kijkt Zilver tevreden naar het resultaat. 'Nu de bovenkant versieren,' mompelt ze.
Behendig schept ze wat slagroom in een spuitzak. Ze draait de bovenkant dicht en draait net zolang door tot er slagroom uit het tuutje komt. Ze weet hoe een slagroomspuit werkt. Dat heeft ze geleerd van haar vader. Een mooie toef slagroom belandt op de eerste slagroomstam. En nog één, en nog één. Drie prachtige toefjes room.

Zilver bijt op het puntje van haar tong. Dit is heel precies werk. Op alle slagroomstammen spuit ze drie toefjes. Het lukt! Opgelucht haalt ze adem. Nu alleen het fruit nog.
Ze loopt naar de koeling en pakt een schaal met gesneden stukjes fruit. Ananas, kiwi, kersen, appel, peer. Hoe zal ze het doen?
Terwijl haar vader met een grote bak krentendeeg achter haar langs loopt, duwt Zilver in alle toefjes slagroom een schijfje kiwi.
'Gaat-ie goed?' Sep kijkt tevreden. 'Maak je ze niet te lekker? Straks moet ik jou nog in dienst nemen, omdat de klanten jouw taarten zo lekker vinden.'
'Ik wil later ook bakker worden,' zegt Zilver. 'Of nee, geen bakker. Broden bakken vind ik saai. Ik wil taartenbakker worden.' Zilver stopt een kers in haar mond. 'Kan dat ook?'
'Jazeker,' zegt haar vader. 'Dat noem je een patissier.'
'Een wat? Pa-tie-siejee?'
'Dat is Frans voor taartenbakker.'
'O, nou... ik wil gewoon taartenbakker worden. Of eigenlijk cupcakebakker.' Ze kijkt naar haar vader. 'Is daar ook een moeilijk woord voor?'

'Nee, niet dat ik weet. Cupcake is een Engels woord.'
'Dat wil ik dus.' Zilver duwt een schijfje appel in de slagroom. 'Taarten zijn zo groot en altijd hetzelfde. Cupcakes niet. Die zijn elke keer anders.'
'Cupcakes zijn leuk voor kinderen,' zegt haar vader. 'Om zelf thuis te maken. Maar voor een bakker als ik zijn cupcakes niets. Daar zitten mijn klanten niet op te wachten.'
'Waarom niet?' Zilver draait zich om. 'Cupcakes zijn leuk en lekker. Wedden dat de mensen ze gaan kopen als je ze in de etalage zet?'
Sep schudt zijn hoofd. 'Ik wed niet op de vroege ochtend.' Hij geeft Zilver een knipoog. 'Maak die slagroomstammen nu maar af. Dan kun je mij nog even helpen met de koekjes. En de broden moeten ook de winkel in.'

Tegen zeven uur zitten Zilver en Sep in de keuken aan het ontbijt. Ze hebben hard gewerkt, maar het is allemaal gelukt. De broden liggen in de schappen. De taarten voor mevrouw De Jager staan klaar. De koekjes zijn ingepakt. En de krentenbroden liggen op de toonbank. Over een halfuur gaat de winkel open.

Mama schuift een gebakken ei op het bord van Zilver. 'Dus jij hebt papa geholpen?'
Zilver grist een boterham uit de mand en knikt. 'Het ging hartstikke goed, mam.' Ze kijkt naar Sep. 'Morgen weer?'
'Niets daarvan, jongedame,' zegt haar vader. 'Morgen blijf jij lekker in bed liggen.'
'Maar pap, ik...' Er krabbelt iets aan Zilvers been en ze schuift haar stoel naar achteren. 'Hee, kleine Pippie. Wil jij ook een stukje brood?' Zilver pakt het poesje op en zet het op haar schoot.
'Pippie mag geen brood, hoor,' zegt haar moeder. Zilver knikt. 'Heb jij al eten gehad?' Ze duwt haar gezicht in de zachte vacht van Pippie. Maar het poesje geeft zich niet zomaar gewonnen. Vliegensvlug glipt hij uit de omarming van Zilver en schiet de tafel op. Voordat Zilver iets kan doen, likt hij aan het eigeel van haar ei.
'Foei, Pippie! Dat mag niet.' Ze pakt Pippie op en zet hem

op de grond. 'Stoute Pippie!'
Het poesje piept en rent de keuken uit.
'Je hebt een poesje met pit uitgekozen, Zilver,' zegt haar vader en hij lacht. 'Past wel een beetje bij jou.'
'Hij was de grappigste,' zegt Zilver. Ze denkt terug aan het moment dat ze voor het nest met kittens stond en er eentje mocht uitkiezen voor haar verjaardag. Wel een uur lang had ze naast de mand van de moederpoes gezeten. Moeilijk, hoor. De ene kitten had een mooie vacht. De andere had lieve ogen. Maar er was er eentje die echt opviel. Brutaal rende hij op Zilver af en begon haar kopjes te geven. Telkens als ze hem wilde aaien, rende hij weer naar zijn moeder. Het was een grappig spel. Zilver was meteen weg van dit geinige poesje.
'En de ondeugendste,' zegt haar vader met een knipoog. 'Als je maar goed oplet dat Pippie nooit in de bakkerij komt.'
'Jaha.' Zilver schuift haar bord naar achteren. Dat ei hoeft ze niet meer. Ze neemt wel een boterham met hagelslag. 'Dat weet ik nou wel, hoor.'
'Het is heel belangrijk dat...'
'...dat de bakkerij vrij van kattenharen is,' vult

Zilver aan. 'Dat heb je al honderd keer gezegd, pap.'
'En nu eten, je moet zo naar school. Je hebt hard gewerkt.'
'Ik vind het geen fijn idee dat Zilver al zo vroeg aan het werk is,' zegt mama. 'Was dat nou nodig?'
Sep kijkt op. 'Boaz was er weer niet. Ik heb hem ontslagen.'
'Wat?' roept mama.
'Bakker worden is niets voor hem. Elke ochtend moet ik hem uit bed bellen. Dat is toch geen doen?'
'Maar zijn school dan?'
'Ik bel zijn leraar wel op om het uit te leggen.'
'En nu?' Mama kijkt bezorgd. 'Komt er een nieuwe? Ik wil niet dat Zilver elke ochtend…'
'Voorlopig even niet,' antwoordt haar man. 'En maak je geen zorgen. Ik red het wel in mijn eentje. Ik sta gewoon wat vroeger op.'
'Maar…' Mama kijkt naar Zilver. 'Hoe moet het nu met Zilvers feestje?'
Zilver schrikt. Dat is waar. Haar feestje is woens-

dag. Melina, Sara, Amy en Jan-Willem komen en ze zouden een taart gaan bakken in de bakkerij. Samen met Boaz. Hij zou hen helpen.
Haar vader haalt zijn schouders op. 'Dan gaat ze naar de film. Er draait vast wel iets voor kinderen.'
Zilver laat haar boterham vallen. 'Ik wil niet naar de film. Ik wil een taart bakken.'
'Naar de film is toch ook leuk?'
'Maar het stond op mijn uitnodiging,' roept Zilver. 'De hele klas weet dat we in de bakkerij iets lekkers gaan maken. Het is stom als het opeens niet doorgaat.'
'Soms gaan dingen anders in het leven.'
'Je hebt het beloofd!'
'Het spijt me, liefie. Maar het kan niet. Ik sta in de winkel. Woensdagmiddag is het extra druk. Jullie mogen niet zonder toezicht de bakkerij in om een taart te bakken. Taarten hebben aandacht nodig en de juiste ingrediënten. Daar moet een bakker bij zijn, anders mislukt het. Dat wil je toch ook niet?'

'Nee!'
'Nou dan. Het is echt beter als je woensdag iets anders gaat doen. Een taart bakken is echt veel te hoog gegrepen voor kinderen.'
'Dat is niet eerlijk!' Zilver balt haar vuisten. 'Ik heb je vanmorgen toch ook goed geholpen? Ik heb zeven taarten gemaakt.'
Sep schudt zijn hoofd. 'Die waren al bijna klaar. En trouwens, dat waren slagroomstammen. Dat is heel wat anders dan een taart.'
'Nou en? Ik zie het verschil niet.' Zilver voelt haar hart bonzen. 'Behalve dan dat de één rond is en de ander langwerpig.'
'Een taart bakken vraagt vakmanschap,' legt haar vader uit. 'Dat doe je niet even zomaar. Echt, Zilver... dat kunnen kinderen niet alleen.'
Zilver bijt op haar lip. 'En cupcakes?' Ze zit nu rechtop.
'Cupcakes?' Haar vader kijkt verbaasd.
'Ja, cupcakes.'
'Wat bedoel je?'
'Nou, zoals ik het zeg. Mogen kinderen wel cupcakes bakken? Je zei vanochtend zelf dat cupcakes voor kinderen waren.'
'Eh... ja, dat is waar. Maar...'

'Nou, dan is het probleem opgelost.' Zilver kijkt triomfantelijk. 'We gaan woensdag cupcakes bakken in de bakkerij.'
Haar vader legt zijn mes neer. 'Zilver, luister nou eens even.'
'Ik weet hoe ik beslag moet maken,' valt Zilver haar vader in de rede. 'Ik koop papieren bakjes en versierdingetjes. En in de bakkerij zijn ook nog genoeg spulletjes. Jippie! We gaan cupcakes maken op mijn feestje.'
Haar vader zwijgt.
Zilver houdt vol. 'Jij wilt toch ook dat mijn feestje leuk wordt?'
'De bakkerij is geen speelplaats,' mompelt haar vader.
'We doen echt voorzichtig, pap. En als de cupcakes klaar zijn, doe jij ze in de oven, dus het is niet gevaarlijk.'
'Ik vind het een goed idee,' zegt mama. Ze kijkt naar haar man. 'En ik vraag Josje om je te helpen in de winkel, dan kun je af en toe even de bakkerij in lopen om te kijken of het goed gaat.'
'We zullen heel voorzichtig zijn met alle spullen en niet rennen.' Zilver kijkt gespannen naar haar vader. 'En ook alles weer netjes opruimen.'

Sep fronst zijn wenkbrauwen. 'Hmm, nou... vooruit dan.'
Zilver vliegt haar vader om zijn hals. 'Het wordt echt superleuk!'
'Ja, ja. Maar beloof me dat je geen rare fratsen uithaalt.'
'Rare fratsen?' Zilver trekt een onschuldig gezicht. 'Dat doe ik toch nooit?!'

Een feestje met JW

WEETJE

De grootste cupcake ooit is gemaakt op 2 november 2011 in Amerika en woog 1.176,6 kilo.

'Komen jullie?' Zilver heeft haar schooltas vast. Ze wacht op haar vriendinnen. Ze heeft haar jas al aan en wiebelt ongeduldig heen en weer. Het is woensdagmiddag en de school gaat uit. Amy en Melina staan bij de kapstok en trekken net hun jas aan. Sara komt de klas uit gelopen. Ze geeft de juf een hand. 'Tot morgen, juf!'
'Tot morgen, dames. Veel plezier bij Zilvers feestje.' De juf geeft Zilver een knipoog. 'Ik ben benieuwd wat jullie gaan maken in de bakkerij.'
'Ik ook,' zegt Amy.
Zilver zwijgt. Het moet een verrassing blijven.
'Misschien wel taart,' roept Melina.
'Of soesjes,' zegt Sara. 'Met chocola.'
De juf lacht. 'Jammer dat ik geen uitnodiging heb gekregen van je. Ik ben dol op taart en soesjes.'
Even later lopen de vier vriendinnen over het schoolplein in de richting van Zilvers huis.
'Komen er nog meer?' vraagt Melina. Ze springt over een plas maar komt met haar hak nog net in

het water terecht. Een grote donkere klodder verschijnt op haar broekspijp.
'Hee, kijk je uit!' roept Sara. Ze kijkt naar haar legging, waarop nu een paar natte spetters te zien zijn.
Melina haalt haar schouders op. 'Het is maar water.'
'Water? Prut zul je bedoelen.' Sara gaat sneller lopen en zorgt dat ze een eind bij Melina uit de buurt blijft. 'Waarom moet jij altijd moeilijk doen?' roept ze. 'Je kunt toch ook om die plas heen lopen?'
'Dat is saai.' Melina rent naar het schoolhek en springt eroverheen.
'En saai is niet leuk,' roept ze triomfantelijk.
'Nou, wie komen er nog meer?' herhaalt Melina haar vraag.
'Alleen Jan-Willem nog,' antwoordt Zilver.
'Je buurjongen?'
'Overbuurjongen. Hij woont schuin tegenover ons. En hij zit in het lokaal tegenover dat van ons.'
'Gezellig!' Sara giechelt. 'JW is geinig.'

'JW?' herhaalt Amy op vragende toon.
'Ja, Jan-Willem... JW.'
'Hoe kom je daar nou bij?'
Sara haalt haar schouders op. 'Dat is cool. Mijn vader heet Jean-Paul en die noemen we JP.'
'Hmm, en hoe noemen ze jou dan?' vraagt Amy. 'S?'
'Nee, tuurlijk niet. Alleen bij dubbele namen doe je dat.'
'Ik vind het raar,' mompelt Melina.
Ze lopen het schoolplein af en steken de straat over. Zilver woont niet zo heel ver bij de school vandaan.
'Speel je nog met Jan-Willem?' vraagt Melina.
'JW,' verbetert Sara haar vriendin. 'Speel je nog met JW!'
'Niet echt,' antwoordt Zilver. 'Maar zijn ouders en mijn ouders zijn vrienden, dus...'
'Dat is toch geen reden om hem op je feestje te vragen?' reageert Melina.
Zilver haalt haar schouders op. 'Ik ben ook altijd op zijn feestje. Niet dat dat de laatste keer leuk was. Maar mijn moeder vindt dat ik het niet kan

maken om hem niet te vragen.'
'Eentje moet de eerste zijn, toch?' Melina grijnst. 'Anders komen jullie straks in het bejaardenhuis nog op elkaars feestje.'
'Misschien vindt hij het wel niet leuk vandaag,' zegt Amy. 'Hij is de enige jongen!'
'O,' zegt Zilver. 'Hij heeft vier zussen, dus hij is wel wat gewend.' Amy is drie maanden geleden in de buurt komen wonen en kent nog niet iedereen. De dag dat ze in de klas werd voorgesteld door de juf, herinnert Zilver zich nog goed. Zilver had haar vinger opgestoken toen de juf vroeg wie Amy wegwijs wilde maken op school. Samen hadden ze door de school gelopen. En in de pauze was Amy bij haar en haar vriendinnen gebleven. Het klikte direct met Sara en Melina. Nog diezelfde middag waren ze alle drie met Amy meegegaan naar huis. Amy's moeder had hen uitgenodigd. Ze vond het fantastisch dat Amy al zo snel vriendinnen had gemaakt. Vanaf die tijd hoorde Amy er helemaal bij.
'Vier zussen?' Amy kijkt verrast.
Melina springt over een hondendrol heen. 'Misschien komt hij wel omdat zijn moeder zegt dat het niet netjes is om een uitnodiging te weigeren.'

Ze kijkt achterom en trekt een vies gezicht.
'Ik vind het wel leuk dat hij komt.' Sara gooit haar haar naar achteren. 'Als ik het had geweten, had ik iets anders aangedaan.'
'Hoezo?' vraagt Amy.
Zilver schiet in de lach. 'Sara, hou op! Jan-Willem is...'
'JW!' verbetert Sara.
'JW is gewoon een buurjongen.'
'Een leuke buurjongen, toch? Vorig jaar was hij heel grappig. Ik hou van grappige jongens.'
'Je gaat je niet uitsloven, hoor!'
'Ik?' Sara schudt haar hoofd. 'Dat doe ik toch nooit?'
Aan de overkant van de straat is de bakkerij. Zo te zien is het druk in de winkel. Allebei haar ouders staan achter de toonbank. Zilver steekt als eerste over. Ze ziet door de etalageruit heen dat haar moeder door de tussendeur het huis in gaat. Haar vader zwaait. Zilver zwaait terug. Even later doet haar moeder de voordeur open. 'Ha, dames! Daar zijn jullie.'
Pippie rent enthousiast tussen alle benen door. De meiden zeggen Zilvers moeder gedag en gaan naar binnen.

'Aaah, wat is-ie lief,' roept Amy. Ze wil Pippie aaien, maar het dier springt weg. Terwijl Zilvers vriendinnen Pippie proberen te aaien, wijst Zilvers moeder op haar horloge. 'Het is beredruk in de winkel. Is het goed dat jullie je heel even alleen vermaken? Ik ben over een kwartiertje terug. Neem lekker wat te drinken. Ik ga zo pannenkoeken voor jullie bakken.'

Nog voordat Zilver iets kan zeggen, is haar moeder verdwenen.
'Mmm, pannenkoeken,' zegt Amy. 'Ben ik dol op.'
Pippie rent de kamer in en de meiden trekken hun jas uit. Sara haalt een cadeau uit haar tas en geeft het aan Zilver. 'Gefeliciteerd!'
Zilver neemt het pakje aan en loopt de kamer in. Melina en Amy pakken ook hun cadeau en volgen.
'Ik hoop dat je het leuk vindt,' zegt Sara met een grijns.
Zilver trekt het cadeaupapier los. Ze staart naar

de sieradendoos die vol zit met glitterstenen, hangers, haakjes en kralen. 'Ooo, super!' Ze haalt de doos uit het papier. 'Te gek, Saar! Hier kan ik heel veel sieraden mee maken.'
Melina doet een stap naar voren. 'Hier, deze is van mij.'
Zilver pakt het kleine, ronde pakje aan. 'Het voelt zacht.'
'Maak maar open.'
Nieuwsgierig maakt Zilver het cadeau open. 'Een T-shirt. Wat mooi!' Zilver houdt een roze shirt omhoog, waarop de afbeelding van een zwart paard is gedrukt.
'Het is een pyjama,' legt Melina uit.
Zilver houdt het shirt voor haar lichaam. 'Of een jurk.'
De meiden lachen en Amy geeft nu ook haar cadeau. 'Als je het niet leuk vindt, mag je het ruilen,' zegt ze zacht. Met een schuin oog kijkt ze naar de sieradendoos en het paardenshirt. 'Ik vind het zelf heel leuk.'
Even later staren ze naar een speelgoedhondje. Er

zit een halsband om zijn nek met een riem eraan.
'Een knuffel?' Zilver trekt een fronsend gezicht.
'Is Zilver daar niet een beetje te oud voor?' mompelt Sara.
Zilver zet de hond op de tafel. 'Hij is wel lief.'
Amy doet een stap naar voren. 'Hij kan blaffen en lopen.'
'Echt?'
Amy tilt de hond op en draait aan de knop. Als ze de hond weer neerzet bewegen zijn poten en loopt het dier vooruit. Zijn kop gaat heen en weer en ze horen geblaf. 'Waf, waf, waf!'
'Aaah, wat schattig!' roept Zilver. Ze zet de hond op de grond en pakt de riem vast. De hond schuift langzaam door de kamer. Zijn geblaf lijkt net echt.
'Vind je het wel leuk?' Amy kijkt vragend.
Zilver lacht. 'Heel leuk.' Ze trekt de hond naar zich toe en zet hem uit. 'Nu kan ik in mijn nieuwe jurk, met sieraden om mijn hond uitlaten.'
'Als je dat durft!' roept Melina.
'Zilver durft alles,' roept Sara. 'Toch?'
Zilver lacht geheimzinnig. 'Wie weet!'
Op dat moment springt Pippie boven op de speelgoedhond. Ze piept en krabt. Grote plukken

haar dwarrelen op de grond.
'Hee, Pippie. Niet doen!' Zilver trekt het poesje naar zich toe, maar Pippie is in paniek en krabt met haar pootjes over Zilvers arm. 'Au!' Van schrik laat ze Pippie los. Het dier schiet onder de bank en blijft daar plat op de grond liggen.
'Je bloedt,' roept Amy. Ze wijst op de lange kras op Zilvers arm.
'Lekker beestje,' zegt Sara.
'Ze was bang,' zegt Zilver.
'Ze was gewoon jaloers,' roept Melina. 'Jaloers op die speelgoedhond.'
Zilver veegt de druppel bloed van haar arm. 'Het valt mee.' Ze loopt naar de keuken. 'Iemand iets drinken?' Ze pakt vier glazen en opent de koelkast. 'We hebben limonade, cola, sinas en appelsap.'
'Ik wil wel sinas,' roept Melina.
Net als Zilver het glas wil volschenken, gaat de bel.
'Ik doe wel open,' roept Sara en ze rent naar de voordeur. Haar stem galmt door tot in de keuken.
'Ha, JW!'

Zilver, Melina en Amy kijken elkaar veelbetekenend aan. Ze luisteren hoe Sara Jan-Willem binnenlaat. 'Ik ben Sara, ken je mij nog?'
Er klinkt wat gemompel.
'Ze slooft zich uit,' fluistert Melina.
'Is Zilver er ook?' De stem van Jan-Willem klinkt vragend.
'Eh... ja, in de keuken.' Sara komt als eerste aangelopen. 'Het is Jan-Willem.'
'Dat hadden we al gehoord,' zegt Zilver. Ze steekt haar hand op. 'Hoi.'
'Hoi!' Jan-Willem overhandigt haar een cadeau. 'Gefeliciteerd.' Hij kijkt vluchtig naar Melina en Amy. 'Komen er nog meer?'
Zilver schudt haar hoofd. 'Nee, we zijn compleet.'
Jan-Willem probeert te glimlachen, maar het lukt niet echt.
Sara slaat haar arm om hem heen. 'Het wordt vast heel gezellig, JW.'
Jan-Willem kijkt op. 'JW?'
'Ja, zo noemen we jou. JW is lekker hip. Veel beter dan dat duffe Jan-Willem.'
'En bedankt!' Jan-Willem doet een stap naar voren, zodat de arm van Sara van zijn schouders glijdt. 'Misschien dat we jou dan Saartje kunnen

noemen? Veel hipper dan dat duffe Sara.'
Zilver schiet in de lach en ook Melina en Amy kunnen zich niet inhouden.
'Saartje...' roept Zilver. 'Klinkt eigenlijk best lief.'
'Ik ben niet lief,' bromt Sara.
'Dan noemen we je Saar,' zegt Jan-Willem. 'Dat klinkt stoer.'
'Ik heet Sara!' zegt Sara.
'En ik heet Jan-Willem,' zegt Jan-Willem.
Zilver houdt het cadeau omhoog. 'Wat zou hier nou in zitten?' Ze schudt het cadeau heen en weer. Ze hoort iets rammelen. De aandacht is afgeleid en iedereen staart naar het pakje.
'Voorzichtig,' roept Jan-Willem. 'Het kan stuk.'
Zilvers ogen schitteren. 'Is het van glas?'
Jan-Willem zegt niets.
Langzaam maakt Zilver het cadeau open. 'Oooo, ik zie het al.' Ze trekt het papier er verder af en dan kan iedereen het zien.
'Een toverbol,' roept Amy.
Zilver houdt de glazen bol omhoog en schudt hem zachtjes heen en weer. Witte sneeuwvlokken dwarrelen in de bol rond. De huisjes op de grond worden langzaam bedenkt met een witte laag.
'Vind je hem mooi?' vraagt Jan-Willem.

'Heel mooi.' Zilver doet een stap naar voren en geeft Jan-Willem een kus op zijn wang. 'Dankjewel.'
Wat verlegen staart Jan-Willem naar de bol. 'Ze hadden er ook nog eentje met glitters en muziek, maar ik vond deze beter bij jou passen.'
'Wil je ook op mijn feestje komen?' vraagt Sara. 'Zo'n toverbol wil ik ook wel.'
Jan-Willem lacht. 'Wanneer ben je jarig?'
'Net geweest.' Sara grijnst. 'Maar... dan heb je bijna een heel jaar om een mooie te vinden.'
'Is goed.' Jan-Willem kijkt naar Amy. 'Jou ken ik nog niet, toch?'
Amy kijkt verlegen. 'Nee, ik woon hier nog maar pas.'
Jan-Willem steekt zijn hand uit. 'Ik ben...' Hij kijkt naar Sara. 'Jan-Willem, maar jij mag JW zeggen.'
Amy geeft Jan-Willem een hand. 'Dag JW, ik ben Amy.'
Sara geeft Jan-Willem een duw. 'Dat is flauw.

Waarom mag zij jou wel JW noemen en ik niet?'
'Maak je niet druk,' zegt Zilver. 'Jan-Willem neemt altijd iedereen in de maling.'
'JW,' verbetert Jan-Willem haar. 'Vanaf nu heet ik JW.' Hij geeft Sara een knipoog. 'Best stoer, toch?'
'Wil je wat drinken?' Zilver pakt een vijfde glas en even later zitten ze aan tafel.
'Wat gaan we nou maken straks?' Melina klinkt ongeduldig. 'Taart?'
Zilver schudt haar hoofd. 'Nee, geen taart.'
'Soesjes?' roept Sara.
'Nee, ook geen soesjes.'
'Krentenbollen,' zegt Jan-Willem.
Zilver lacht. 'Nee, ook geen krentenbollen.'
'Cake?' vraagt Amy.
'Warm.'
'Warme cake,' roept Melina en ze schiet in de lach.
Zilver beweegt haar hoofd heen en weer. 'Bijna goed.'
'Cupcakes?' Amy zegt het aarzelend.
'Geraden!' Zilver straalt. 'We gaan cupcakes maken.'
'Toppie,' roept Melina. 'Daar ben ik goed in. Van

die stoere chocoladecakejes met slagroom.'
Jan-Willem schuift op zijn stoel heen en weer. 'Cupcakes... zijn dat die kleine, ronde cakejes in een papiertje?'
'Ja,' legt Sara uit. 'En dan helemaal versierd met leuke bling-blingdingetjes. Glitters, spikkels, hartjes en sterretjes. Ik maak ze thuis wel eens.'
Zilver ziet dat haar vriendinnen het een goed plan vinden. Maar Jan-Willem kijkt niet blij.
'Je kunt ze helemaal versieren zoals jij dat wilt,' legt Zilver uit. 'Met stoere kleuren, lekkere snoepdingen of met marsepein.'
'Dus je hoeft geen glitters, hartjes en spikkels te gebruiken?'
'Welnee, je mag doen wat je zelf wilt. In de bakkerij hebben we allemaal spullen om de cupcakes te versieren.'
Sara legt haar hand op de arm van Jan-Willem. 'Ik help je wel, hoor, JW.'
'Of dat nou zo'n goed idee is,' mompelt Melina en ze geeft Zilver een knipoog.

Aan de Slag!

WEETJE

Een reiziger die cupcakes mee had genomen in zijn bagage mocht Amerika niet in. Het glazuur op de cakejes viel onder de verboden stoffen. Hij mocht kiezen: de cupcakes inleveren of opeten. Je raadt het al: hij heeft heerlijk zitten smullen!

'Ik zit propvol van die pannenkoeken.' Jan-Willem loopt een beetje voorovergebogen. 'Ik denk niet dat ik veel zal snoepen vanmiddag.'
'Dat is ook niet de bedoeling,' zegt Zilver. Ze opent de deur naar de bakkerij en laat haar vrienden binnen. Zilver kijkt goed of ze Pippie ziet. Als iedereen binnen is, sluit ze de deur.
Het is halftwee en ze hebben net een stapel pannenkoeken weggewerkt die haar moeder heeft gebakken. Zilver is blij dat haar feestje tot nu toe in de smaak valt bij haar vrienden.
'Wel handig dat de bakkerij aan jullie huis vastzit,' zegt Melina. 'Je vader kan zo via de tussendeur naar zijn werk.'
'Ja, geen last van files,' zegt Jan-Willem. 'Mijn vader moet elke ochtend om zes uur op om op tijd op zijn werk te zijn.'
'Nou,' reageert Zilver. 'Mijn vader staat om drie uur op en soms zelfs nog eerder.'
'Huh? Zo vroeg?' Amy kijkt verbaasd.

'Ja, die broden moeten elke ochtend vers gemaakt worden. Dat duurt een tijdje. Als de winkel opengaat om halfnegen dan moeten die broden klaar zijn.'

'Nu weet ik meteen wat ik later níét wil worden,' roept Sara. 'Vroeg opstaan is niets voor mij.'

'Je moet altijd vroeg opstaan als je werkt,' zegt Melina.

'Of je moet nachtdiensten gaan doen,' zegt Amy. 'Zoals mijn moeder. Zij werkt in het ziekenhuis als verpleegster.'

Sara zucht. 'Nee, dat lijkt me ook niets. Al die zieke mensen. Ik wil later model worden of zangeres.'

'Ja, hoor! Droom maar lekker verder.' Jan-Willem grijnst. 'Dan wil ik astronaut worden.'

'Astronaut? Dat is pas ver weg.'

'Je hebt in ieder geval geen last van files,' zegt Jan-Willem.

'Ik wil later wereldkampioen worden!' roept Melina.

'Ja hoor!' reageert Sara.

Melina knikt. 'Ik doe al wedstrijden.'

'In wat?' vraagt Jan-Willem.

'Schaatsen.'

'Echt?' Jan-Willem lacht. 'Dus jij racet rondjes?'
'Nee, ik race niet,' legt Melina uit. 'Ik zit op kunstschaatsen.'
'Melina danst op het ijs,' zegt Sara.
'Ja,' vult Zilver aan. 'Ze is heel goed.'
'Maar wereldkampioen?' Jan-Willem kijkt vragend.
'Ik zie wel,' zegt Melina. 'Het ging er toch om wat je wenste? Astronaut en fotomodel worden jullie ook niet, hoor!'
'Nou, als ik mag kiezen dan wil ik wel verpleegster worden,' bekent Amy. 'Net als mijn moeder.'
'Echt?' Zilver kijkt verbaasd. 'Ook als je alles mag kiezen wat je wilt?'
'Ja!' Amy kijkt vastbesloten. 'En jij dan?'
Zilver merkt dat iedereen haar aankijkt.
'Ja,' zegt Sara. 'Wat wil jij later worden als je mag kiezen?'

Zilver loopt verder de bakkerij in. 'Patissier.'
'Pattiesjee, wat is dat?'
'Patissier,' herhaalt Amy. 'Dan maak je taartjes, toch?'
Zilver knikt. 'Ja, heel mooie en lekkere.'

'Dus je wilt net als je vader bakker worden?' vraagt Sara en ze kijkt er een beetje teleurgesteld bij.
'Mijn vader is bakker, geen patissier.'
'Maar hij maakt toch taart?'
'Jawel, maar dat zijn meer de gewone taarten. Een patissier maakt heel bijzondere taarten.'
'Van vijf etages hoog?'
'Ja, bijvoorbeeld.' Zilver lacht. 'En prachtig versierd met chocola, marsepein, fruit... alles wat je maar kunt bedenken. Het lijkt me super om mensen blij te maken met mijn taarten.'
'Oo, stop!' Jan-Willem houdt zijn hand voor zijn mond en maakt een schokkende beweging. 'De pannenkoeken komen terug.'
'Had je maar niet zoveel moeten eten,' roept Sara.
'Ze waren zo lekker,' kreunt Jan-Willem. Hij pakt een kruk vanonder de kapstok vandaan en gaat zitten. Zijn gezicht is nu helemaal rood.
'Gaat het?' Amy komt bij hem staan en legt haar hand op zijn schouder.
'Ja, ja, het gaat wel.' Jan-Willem kijkt op en glimlacht. 'Dank je.'
'Ach, wat lief.' Sara zet haar handen in haar zij. 'Amy de verpleegster.'

Een boze blik is het gevolg. Sara draait zich om. 'Laat de ziekenboeg maar even alleen. Wij gaan aan de slag. Wat gaan we doen?'
Zilver loopt naar de grote werktafel in het midden van de bakkerij. 'Ik heb alles al klaargelegd.'
Melina is als eerste bij de tafel. 'O, wat lekker allemaal.' Ze staart naar de bakken met allerlei kleuren marsepein, het snoep, de verschillende glazuren, room, chocola, fruit, nootjes en nog veel meer. 'Mogen we dat allemaal gebruiken?'
Sara pakt een kers uit een van de kommen en gooit die naar Melina. 'Hier, vangen!'
Melina schrikt en grijpt mis. De kers valt op de grond en spat uit elkaar.
'Wat doe je nou?' roept Zilver. 'Niet gooien met de spullen!'
Sara slaat haar hand voor haar mond. 'Oeps, sorry. Stom van me. Ik zal het niet meer doen.'
Zilver zucht. 'Oké.' Ze wijst naar de stapel metalen bakplaten. 'Ik heb voor iedereen een cupcaketray. Een bakplaat met twaalf vormpjes, dus we kunnen er heel veel maken. We hebben een supergrote oven. Ze kunnen allemaal tegelijk gebakken worden.' Ze wijst naar een stapel papieren cupcakevormpjes. 'Die gaan in de vormpjes, zodat de

cupcakes niet uitzakken. Verder heb ik een weegschaal, voor iedereen een mixer, spuitzakken en allemaal verschillende spuitmondjes.'

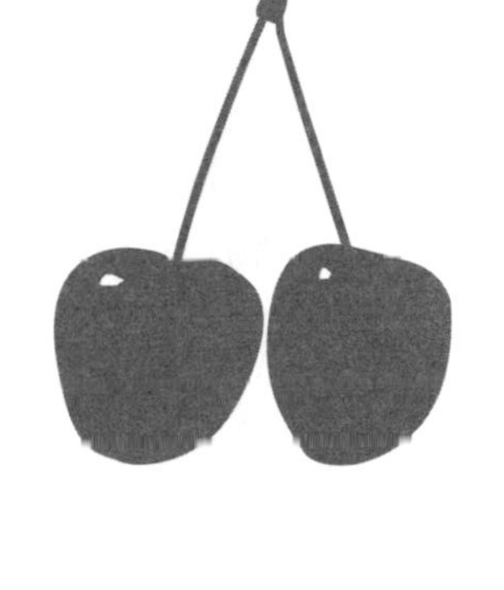

Jan-Willem en Amy zijn er nu ook bij komen staan.

'Gaat het?' vraagt Zilver.

Jan-Willem knikt. 'Ja, gaat wel.' Met een schuin oog kijkt hij naar alle dingen op tafel. Hij perst zijn lippen op elkaar.

'En daar staat drinken.' Zilver wijst naar de kast bij de muur. 'Hoeven we niet heen en weer naar de keuken te lopen.'

'Mmm,' zegt Amy.

'En je kunt die ook voor in het beslag gebruiken,' gaat Zilver verder.

'Die drankjes?' Melina kijkt verbaasd. 'Hoezo?'

'Voor de banketbakkersroom,' legt Zilver uit.

Melina blijft vragend kijken.

'Je weet wel, dat dikke gele spul tussen een tompouce?'

Melina knikt. 'Ja, dat weet ik wel, maar wat heeft dat te maken met drankjes?'

'Nou, die room maak je van custardpoeder met

vocht. Je kunt water gebruiken, maar het is natuurlijk leuker om andere drankjes te gebruiken.'
'Cola?'
'Bijvoorbeeld.' Zilver lacht. 'Of sinaasappelsap.'
'Of koffie,' roept Sara.
Vier paar ogen kijken haar aan.
'Ik hou van koffie,' legt ze uit. 'Mag dat?'
Zilver lacht. 'Alles mag. Leef je uit! Het is jullie feestje.'
'Nee, het is jouw feestje,' roept Amy.
Ze kijken bewonderend naar de spullen die op de werktafel liggen.
'Mogen we de cupcakes meenemen naar huis?' vraagt Melina.
'Of opeten?' vult Sara aan.
Jan-Willem kreunt.
'Ja, tuurlijk,' zegt Zilver. 'Wat je wilt.' Ze loopt naar de kapstok en pakt vijf bakkersjassen. 'We moeten wel een jas aantrekken.'
'Cool!' roept Sara. 'Krijgen we dan ook zo'n muts?' Ze wijst naar de witte mutsen op de plank boven de kapstok.
'Die ga ik echt niet op mijn hoofd zetten, hoor,' roept

Jan-Willem. 'Het lijkt wel een douchemuts.'
Sara heeft al een muts te pakken en zet hem op haar hoofd. 'Hoe staat-ie?'
'Suf,' zegt Jan-Willem. 'Alsof je gaat douchen.'
Zilver pakt vier mutsen van de plank. 'Ik zou het maar wel doen. We willen geen haar in onze cupcakes, toch?'
Amy en Melina proppen hun lange haren onder de muts.
'Jij ook,' zegt Melina.
Met tegenzin zet Jan-Willem zijn muts op. 'Ik heb helemaal geen lange haren.'
'Nee, maar ook korte haren vallen uit,' legt Zilver uit. 'Daarom mag Pippie hier niet komen.' Ze zet haar eigen muts op. 'Zo'n muts is trouwens verplicht in een bakkerij.'
'Verplicht?'
'Ja, er zijn strenge regels. Die staan in de wet. Mijn vader moet zich daaraan houden.'
'En wat als hij dat niet doet?'
'Dan sluiten ze de bakkerij.' Zilver kijkt ernstig. 'We mogen hier bijvoorbeeld niet alleen zijn als de ovens loeien. Daarom staat de oven nu heel laag en komt mijn vader zo de oven hoger zetten. Hij blijft erbij tot de cupcakes klaar zijn en de oven weer uitgaat.'

Cupcakebeslag voor twaalf stuks

- 200 g bloem + 1 eetlepel bakpoeder (of 200 g zelfrijzend bakmeel)
- 220 g suiker
- snufje zout
- 1 ei
- 180 ml melk
- 60 g zachte boter (of 60 ml zonnebloemolie)
- 1 zakje vanillesuiker (of het merg van 1 vanillestokje)

Zorg ervoor dat alle ingrediënten op kamertemperatuur zijn voor je ze gaat mixen.

Verwarm de oven voor op 180 °C.
Doe het ei met de melk, de boter en de vanillesuiker in een kom.
Mix alles goed door elkaar.
Pak een nieuwe kom en een zeef.

Zeef de bloem en het bakpoeder.
Roer daar de suiker en het zout doorheen.
Doe nu alles bij elkaar in één kom.
Mix alles op de laagste mixerstand tot een smeuïg beslag.
Zet dan de mixer nog even 5 seconden op de hoogste stand.
Het beslag is nu lekker luchtig.
Vul de cupcakevormpjes voor driekwart met beslag.
Bak ze in ongeveer 25 minuten gaar.

Let op: Open de ovendeur niet te vroeg. Het bakmeel heeft zeker de eerste 15 minuten nodig om de cupcake te laten rijzen.
Je mag na 20 minuten even met een houten prikker in een van de cupcakes prikken. Komt de prikker er droog uit, dan is de cupcake gaar. Zo niet, dan moet hij nog even.

‘Er is toch niemand die het ziet?’ mompelt Jan-Willem. ‘Ik kan heus wel zelf een oven aan- en uitzetten. Je vader heeft wel wat beters te doen dan hier te wachten, toch?’

‘Nou, af en toe komt er controle,’ legt Zilver uit. ‘Dan checken ze alle machines en ze kijken of alles wel schoon is en of iedereen zich aan de regels houdt.’

‘Vanmiddag toch niet?’ vraagt Melina.

‘Dat weet je nooit. Ze komen onverwacht.’

Amy duwt een pluk haar onder haar muts. ‘Kunnen we dan een bekeuring krijgen?’

Jan-Willem grijnst. ‘Ja, jij zeker. Je hebt heel vieze handen.’

‘Echt?’ Amy kijkt verschrikt naar haar handen.

‘Laat je niet zo opjutten,’ zegt Sara. ‘Jan-Willem maakt een geintje.’

‘Maar...’ Melina denkt na. ‘Als wij niet in de bakkerij mogen zijn als de oven aanstaat, wat gaan we dan doen?’

‘Lekker naar buiten,’ zegt Zilver. ‘Ik heb een tas vol lekkere dingen klaarstaan.’ Ze loopt naar de werktafel. ‘Eerst gaan we het beslag maken en alle cupcakes bakken. Zijn jullie er klaar voor?’

Ze hebben allemaal een beslagkom, een zeef en een mixer. Alle ingrediënten staan op tafel. Zilver legt uit hoe het beslag gemaakt moet worden. 'Je kunt er van alles doorheen doen,' besluit ze haar verhaal. 'Cacaopoeder, dan smaken ze naar chocola.'
'Echt?' Jan-Willem grijnst. 'Dat had ik niet verwacht.'
'Stil nou,' sist Melina.
Zilver gaat verder. 'Je kunt er ook koffie in doen. Dan smaakt de cupcake naar...'
'Laat me raden,' roept Jan-Willem. 'Koffie?'
'O, lekker,' roept Sara. 'Dan smaken ze naar koffie.'
'Je meent het!' Jan-Willem glimlacht.
'Kan het ook met vruchtensap?' vraagt Amy.
Zilver knikt en wijst naar de ingrediënten. 'Ja, maar dan moet je de melk omruilen voor het sap. Kies maar wat je lekker vindt. Iedereen maakt zijn eigen beslag.'
'Maar als ik nou van alles wat wil?' Melina bijt op haar lip. 'Ik wil eigenlijk vier cupcakes met cho-

cola, vier met fruit en vier met vanille.'
'Melina doet weer moeilijk,' roept Sara. 'Dan doe je toch van alles een beetje in je beslag.'
Melina trekt een vies gezicht. 'Koffie, chocola en fruit door elkaar?'
'Ja, voor mijn part doe je er ook nog wat cola bij. Of peper.'
'Of strooikaas,' roept Jan-Willem. 'Ik ben gek op strooikaas.'
'Kaas heb ik niet neergelegd,' zegt Zilver. 'Maar als je dat wilt? We hebben een busje in de koelkast staan. In de keuken.'
Jan-Willem denkt na. 'Hmm, wel lekker.' Hij knikt. 'Ik haal het wel even, goed?' Nog voordat Zilver kan reageren, is hij al weg.
Sara heeft haar zeef al boven de kom gelegd en weegt de bloem af. 'Tweehonderd gram, toch?'
Zilver knikt. 'En een eetlepel bakpoeder.'
Terwijl de meiden aan de slag gaan, kijkt Zilver naar de tussendeur. Waar blijft JW nou?
'Zullen wij samen doen?' vraagt Amy als ze Melina cacaopoeder in haar beslag ziet doen.
'Dan doe ik met sap en delen we het beslag.'
Melina vindt het een goed idee. 'Ik doe er ook nog wat van dit bij... en van dat...' Haar handen graaien in de ingrediënten.

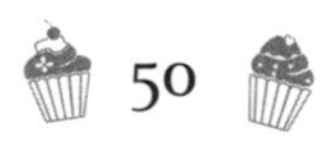

'Let je wel op dat de verhoudingen gelijk blijven?' roept Zilver.
Sara is al aan het mixen. Langzaam roert ze haar ingrediënten door elkaar. 'Het is lekker dik,' zegt ze. 'Misschien kan er nog een beetje vocht bij.' Ze stopt met mixen en loopt naar de kast met dranken. 'Hmm, wat zal ik erbij doen?'
Zilver ziet de tussendeur opengaan. Jan-Willem houdt triomfantelijk het busje strooikaas omhoog. 'Gevonden!' roept hij.
In een flits ziet Zilver iets langs zijn benen schieten. 'Pas op! Pippie mag niet...'
Maar het is al te laat. Het poesje rent de bakkerij in en verdwijnt onder de broodrekken.
'Pak hem!' roept Zilver.
Jan-Willem doet een stap naar voren, maar glijdt uit over de kers op de vloer. Hij botst tegen het broodrek aan.
'Kijk uit!' roept Zilver.
Het rek wiebelt. Jan-Willem doet een stap opzij. Met donderend geraas valt het broodrek om. Pippie springt krijsend op de werktafel en belandt in

de beslagkom van Melina.
'Hee!' Melina schiet naar voren. Ze wil Pippie pakken, maar het dier glipt uit haar handen en rent over de tafel. Het beslag op zijn vacht spettert alle kanten op. Pippie glibbert weg met zijn pootjes. De kom met spikkels valt om en botst tegen de schaal met glitters. Pippie rolt op zijn rug door de versiersels. Het beslag drupt nu op de grond.
Amy wil een stap naar voren doen, maar ze glijdt uit over het beslag. Ze grijpt zich vast aan de tafel. Haar handen raken de beslagkom. Luid gillend valt ze op de grond. De beslagkom vliegt door de lucht en belandt boven op haar hoofd. Pippie springt op de grond en rent weg.
Verslagen staart Zilver naar de chaos.

Schoonmaken

WEETJE

Een Britse bakker verkeek zich op zijn internetactie: cupcakes met 75% korting. Er werden meer dan 100.000 cupcakes besteld. De arme man moest dag en nacht werken om alle bestellingen af te leveren.

Het is één grote bende in de bakkerij. Alle ingrediënten en kookspullen liggen verspreid door de ruimte. Op de tafel is het een rommeltje. Bakjes zijn omgevallen, het sinaasappelsap drupt op de grond. Overal ligt snoep, vermengd met gekleurde spikkels en gouden en zilveren glitters. Grote klodders beslag bedekken de tafel. Werkelijk alles kleeft aan elkaar.

Er klinkt gepiep.

'Daar!' Zilver wijst naar Pippie die onder de kast zit. Ze duikt naar Pippie, maar die schiet net onder een rek door. Het kleine poesje ontsnapt aan de graaiende vingers van Zilver. Piepend rent Pippie door de bakkerij. 'Help dan!' roept Zilver. Ze ligt languit op de vloer en kijkt om.

'AAAH!' Amy zit op de grond. Haar gezicht is bedekt door de beslagkom die op haar hoofd is terechtgekomen. De laatste klodders beslag druipen langs haar oren en neus naar beneden. 'Het zit in mijn neus!'

Melina schiet in de lach. 'Hahaha, je lijkt wel een spook.'
Sara sopt met haar voeten in een plas chocoladebeslag. 'Mijn schoenen!' roept ze.
'Kan iemand mij helpen?' Jan-Willem ligt half onder het broodrek. Zijn been zit klem en hij bijt op zijn lip.
Zilver schrikt en rent naar hem toe. 'Niet bewegen.' Ze duwt het broodrek een stukje omhoog en Jan-Willem trekt zijn been naar zich toe. 'Pfff, dank je.'
Met een klap valt het broodrek weer op de grond. Zilver staart naar Jan-Willems broekspijp. Er zit een grote scheur in de stof. Er sijpelt wat bloed op de grond.
'Je bent gewond,' roept Zilver. Ze knielt naast Jan-Willem neer.
Amy gooit de beslagkom van haar hoofd en komt erbij staan. 'Niet met je handen aan zitten,' roept ze. 'Dan kun je een infectie krijgen.'
Zilver trekt haar handen terug. 'Wat dan? Hij bloedt misschien wel dood.'
'Welnee!' Jan-Willem trekt zijn broekspijp iets omhoog. 'Het is maar een schram. Kijk maar.'
Opgelucht zien Zilver en Amy dat het inderdaad meevalt.

'Ik pak wel een pleister,' zegt Jan-Willem.
Op dat moment klinkt er geschreeuw. Ze zien Melina rare bewegingen maken met haar hoofd.
'Help, ik zit vast,' roept Melina. Haar vingers graaien naar de draaiende mixer die verstrikt raakt in haar haren.
'Trek de stekker eruit!' schreeuwt Jan-Willem.
Maar Melina hoort hem niet. Ze gilt het uit. 'Au! Au!'
Sara glijdt door de chocoladeprut naar het snoer van de mixer en trekt. De stekker schiet uit het stopcontact. De mixer stopt met draaien. Hijgend staat Melina stil. Haar haren zitten vast in de mixer. Angstig kijkt ze op. Ze houdt de mixer vast naast haar gezicht.
Er valt een diepe stilte.
'Wat een bende!' stamelt Zilver.
In de verte klinkt gepiep.
'Waar is dat rotbeest?' roept Jan-Willem. 'Het is allemaal zijn schuld.'
'Zijn schuld?' briest Zilver. 'Jij lette niet goed op.'
'O, nu is het mijn schuld zeker?'

'Ja, als jij die deur niet zo lang had open laten staan, dan...'

'Dan wat?' Jan-Willem zet zijn handen in zijn zij. 'Nou?'

'Dan was dit niet gebeurd,' zegt Zilver iets rustiger.

'Geen ruzie maken,' roept Amy. 'Het is al gebeurd.' Ze loopt naar de spoelbak en zet de kraan open. 'We kunnen onze energie beter stoppen in het opruimen van deze troep.'

Ze veegt wat beslag uit haar oor. 'Ik lijk zelf wel een cupcake.' Ze bukt en wast haar haren en gezicht. 'Gelukkig zit er alleen beslag op mijn vest.'

Amy trekt haar vest uit. Met een schone doek boent ze het beslag grondig uit de stof. 'Het valt mee.' Even later hangt ze haar vest te drogen over de stang van de oven.

'We moeten dit snel opruimen,' zegt Zilver. 'Voordat mijn vader komt. In die kast staan de schoonmaakspullen.' Ze wijst naar een witte deur in de hoek van de bakkerij.

'Niks opruimen!' jammert Melina. 'Eerst moet dit ding uit mijn haar.' Ze trekt aan de deeghaken, maar die zitten muurvast.

'Hoe gaan we dit doen?' mompelt Sara.

'Knippen,' zegt Jan-Willem. 'Ik wil...'
Een woedende blik van Melina doet hem zwijgen.
'Dan niet,' mompelt hij. 'Ik wilde alleen maar helpen.'
Melina's lip begint te trillen. 'Dit komt nooit meer goed.'
'Tuurlijk wel.' Amy droogt haar handen en loopt naar Melina toe. 'Ik probeer het wel.' Ze begeleidt Melina naar de stoel bij het raam en begint Melina's haren te ontwarren. 'Gaan jullie maar opruimen.'
'Au!' roept Melina.
'Zit nou stil.'
'Maar het doet zeer.'
Amy zucht. 'Ja, maar het is dit of knippen.'
Melina zwijgt.
Terwijl Amy Melina's haar uit de mixer probeert te krijgen, zetten Zilver en Jan-Willem het broodrek weer rechtop.
'Gelukkig lagen er geen broden op,' zegt Jan-Willem. Hij kijkt naar Sara. 'Wat sta je daar nou? Help eens mee!'
'En hoe denk je dat ik dat moet doen?' Sara wijst naar haar chocoladeschoenen. 'Als ik beweeg, maak ik het alleen maar erger.'

'Trek uit,' roept Jan-Willem.
'Wat?'
'Stap uit je schoenen.'
Terwijl Sara haar schoenen uittrekt, zet Zilver de kraan open. 'En nu opruimen!'
Sara, Jan-Willem en Zilver werken flink door. Langzaam wordt de bakkerij weer netjes.
'Getver,' roept Sara als ze haar schoenen uit het chocoladebeslag opvist met de steel van de bezem.
'Gooi ze maar in de spoelbak,' zegt Zilver. 'Dan maak ik een sopje.'
Jan-Willem staat bij de chocoladeplas.

'Kunnen we die chocola nog gebruiken?'
'Natuurlijk niet,' roept Sara die haar schoenen in de spoelbak laat zakken.
'Veeg maar op met die keukenrol,' zegt Zilver. 'En gooi alles in de grijze bak.'

'Zonde.' Jan-Willem staart naar de chocola op de grond.
'Wou je het opeten soms?' Sara grijnst.
Net op het moment dat Jan-Willem de chocola

wil opvegen, rent Pippie
tussen zijn benen door.
'Wat krijgen we nou?'
Jan-Willem probeert het
poesje te pakken, maar
het dier is hem te vlug af.
Vier kleine pootjes dribbelen
door het chocoladebeslag.
'O nee!' Zilver staart naar de donkere pootafdrukken op de vloer. 'Pippie, niet doen!'
Ze bukt en beweegt haar vingers over elkaar heen. 'Kijk eens wat ik hier heb?' Haar stem klinkt hoog en ze likt met haar tong langs haar lippen. 'Mmm, wat lekker.'
Pippie staat stil en kijkt naar de hand van Zilver.
'Kom maar, lieve Pippie.' Zilver wrijft haar vingers weer over elkaar heen.
Voorzichtig komt het poesje dichterbij. De chocola aan zijn pootjes maakt nog steeds vlekken. Zilver houdt haar adem in. Pippie is nu vlakbij.
'Hier!' Zilver strekt haar hand nog iets verder. Pippie ruikt aan haar vinger. Snel trekt Zilver haar hand terug. 'Kom maar,' zegt ze.
Pippie komt naar haar toe en met een snelle beweging pakt Zilver het poesje op. 'Hebbes!'

Ze aait het dier over zijn kop. 'Wat ben jij stout geweest!' Ze duwt haar neus in de zachte vacht.
'Nou, dat klinkt ook niet echt boos,' zegt Jan-Willem.
'Ben ik ook niet,' zegt Zilver. 'Pippie kan er niets aan doen.' Ze pakt een natte doek en veegt de pootjes van het dier schoon. 'En nu terug naar je mand.' Zilver opent de tussendeur en laat Pippie naar binnen. Snel sluit ze de deur weer. 'Zo, en nu snel verder.'
Terwijl Amy de mixer langzaam maar zeker uit het haar van Melina krijgt, maken Zilver, Sara en Jan-Willem de bakkerij schoon. Het merendeel van de spullen is gered en kan weer terug op de tafel. Alleen het chocoladebeslag en het beslag van Amy zijn ze kwijt.
'Mijn beslag ziet er wel raar uit,' zegt Sara als ze in haar beslagkom kijkt. 'Het heeft een heel andere kleur.'
'Volgens mij is er wat roods in terechtgekomen,' zegt Jan-Willem. 'Kijk, er drijven ook rode pitjes in.'
'Ik heb er helemaal niets roods in gedaan,' roept Sara verbaasd.
'Mijn beslag is bruin,' zegt Melina die blij is dat

de mixer uit haar haren is gehaald. 'Het lijkt wel poep.'
Jan-Willem steekt zijn pink in het beslag en stopt die in zijn mond. 'Mmm, smaakt wel lekker.'
'Getver,' roept Zilver. 'Je weet niet eens wat je eet.'
'Maakt dat wat uit dan?' Jan-Willem proeft ook een beetje van het beslag van Sara. 'Deze is ook lekker, hoor.'
'Ik weet het niet,' mompelt Zilver. 'Kunnen we niet beter opnieuw beginnen?'
'Welnee,' zegt Jan-Willem. 'Dit worden de lekkerste cupcakes ter wereld. Wedden?'
De meiden kijken elkaar aan. Ze twijfelen.
'Hmm,' zegt Amy. 'Ik moet sowieso nieuw beslag maken.'
Melina staart naar haar beslagkom. 'Er zitten spikkeltjes in.'
'Rode?' vraagt Sara.
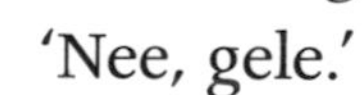
'Nee, gele.'

Er valt een stilte en de meiden kijken naar Jan-Willem.
'Oké, ik proef wel.' Voordat iemand iets kan zeggen,

heeft Jan-Willem zijn vinger in Melina's beslag gestopt en geproefd. 'Mmm, heerlijk. Smaakt naar banaan.'

'Banaan?' Melina kijkt naar de spullen op tafel. 'Ik heb er helemaal geen banaan in gedaan.'

Jan-Willem wijst naar de bananensnoepjes die op tafel liggen en Melina lacht. 'Haha, ja, dat zou kunnen.'

Sara glundert. 'Ik denk dat we allemaal heel apart beslag hebben. Misschien toch wel leuk!'

'Ik heb geen beslag meer,' zegt Amy teleurgesteld.

'Dan maak je het toch opnieuw?'

'Maar ik wil ook gek beslag.'

Sara knikt. 'Dat kan. Doe je ogen maar dicht.'

'Huh?'

'Doe je ogen nou dicht!' zegt Sara ongeduldig.

Amy sluit haar ogen. 'En nu?'

'Wil je dit in je beslag?' Sara houdt een bananensnoepje omhoog.

Het blijft stil.

'Ja of nee?' vraagt Sara.

'Eh… nee.'

Sara legt het snoepje neer en pakt een handje rozijnen. 'Wil je dit in je beslag?'

'Ja.' Amy knikt en Sara laat de rozijnen in de beslagkom vallen.
Terwijl Amy met haar ogen dicht al haar ingrediënten kiest, gaan de anderen verder met hun eigen cupcakes. Ze zetten in iedere vorm een papieren bakje en gieten die voor driekwart vol met beslag.
Op dat moment komt Zilvers vader de bakkerij in gelopen. 'Zo, lukt het allemaal?' Hij kijkt bewonderend naar de volle cupcaketrays. 'Ik kom net op tijd, zie ik!'
Amy zet de mixer uit en pakt haar cupcaketray. 'Ik ben bijna klaar,' zegt ze.
Zilver kijkt om zich heen. Hebben ze alles goed opgeruimd?
Sep loopt naar de oven. 'Hey, wat is dit?' Hij wijst naar Amy's vest.
Vier paar verschrikte ogen kijken de bakker aan.
'Eh... dat komt...' Zilver kijkt naar Amy die net haar cupcaketray volgiet met het fantasiebeslag.
'Ik heb een beetje geknoeid,' zegt Amy. 'En toen heb ik het gewassen en ik dacht...' Ze buigt haar hoofd. 'Nou ja, dan droogt het lekker snel.'
'Juist ja.' Sep trekt het vest van de stang af. 'Dit is heel gevaarlijk. De oven staat dan wel laag, maar

je kunt er geen was aan hangen.' Hij kijkt naar Zilver. 'Dat had jij moeten weten!'
Zilver slaat haar ogen neer. 'Sorry, pap.'
Sep trekt de oven open. 'Kunnen ze erin?'
Een voor een komen ze met hun cupcaketray naar de oven gelopen.
'Mmm, dat ziet er apart uit.' Sep kijkt goedkeurend naar de trays. 'Zo te zien worden dit heel bijzondere cupcakes.'

Proeven

WEETJE

Als je in je beslag zonnebloemolie gebruikt in plaats van boter, worden de cupcakes wat malser.

'Je vader heeft niets gemerkt.' Melina staat op de schommel en zet zich af. Haar handen houden de kettingen stevig vast. Lenig zakt ze door haar knieën als ze naar voren zwaait. Op tijd strekt ze haar benen en zwaait naar achteren. Haar lange haren wapperen alle kanten op.
'Stom dat mijn vest er nog hing,' zegt Amy. 'Maar gelukkig was je vader niet lang boos.'
Zilver ligt op haar rug in het gras. 'Ik ben benieuwd hoe de cakejes worden.'
'Apart,' zegt Sara die bij de paal van de schommel staat.
Het is mooi weer buiten. Achter het huis van Zilver is een klein speeltuintje en een grasveld. Daar zijn ze naartoe gegaan. De cakejes staan in de oven. Over een halfuurtje zijn ze klaar. Dan kunnen ze de cupcakes gaan versieren.
'Iemand voetballen?' Jan-Willem schopt de bal in de richting van het doel.
'Zo kan ik het ook,' roept Sara. 'Er is niet eens een keeper.'

'Hou hem dan tegen.'
Sara kijkt naar de bal die nu bijna bij het doel is en neemt een duik. Met gestrekte armen valt ze op het gras. Haar vingers grijpen de bal. Met een grijns staat ze op. 'Zo!'
Ze legt de bal voor haar voeten en schopt hem zachtjes voor zich uit. 'Nu jij, JW.' Ze kijkt naar het doel achter Jan-Willem. Behendig schopt ze de bal een stukje naar voren.
Jan-Willem spreidt zijn benen. 'Kom maar op!'
Sara beweegt de bal naar rechts en rent erachteraan. Maar Jan-Willem heeft het gezien en is sneller. Hij schopt de bal weg.
'Dit wordt een doelpunt,' roept Jan-Willem. Hij rent achter de bal aan. Razendsnel is hij bij Sara's doel en schiet. Op dat moment duikt Zilver naar voren en stopt de bal.
'Dat is niet eerlijk,' roept Jan-Willem. 'Twee tegen één.'
Zilver schopt de bal naar Sara. Zo snel kan Jan-Willem niet rennen. Met een goed gemikt schot knalt Sara de bal in Jan-Willems doel. 'Eén-nul!'
Jan-Willem briest. 'Telt niet! Jullie zijn met z'n tweeën.'
'Ik doe wel mee,' roept Melina en ze springt lenig

van de nog zwaaiende schommel af. 'Kom maar op met die bal.'
'Ik doe ook mee.' Amy rent naar de bal.
'Nee,' zegt Sara. 'Dan zijn we met z'n vijven. Dat kan niet.'
Amy pakt de bal. 'Jawel hoor. Ik ben de scheidsrechter.' Ze houdt de bal hoog in de lucht. 'We beginnen opnieuw. Allemaal klaar?'
Een kwartier lang rennen ze de benen uit hun lijf. Ook Amy. Haar taak als scheidsrechter is best vermoeiend. Ze moet overal tegelijk zijn.
'Kijk uit!' roept Jan-Willem als Zilver bij zijn doel staat. Maar Melina is te laat. Sara schiet de bal naar Zilver en die tikt hem in het doel. 'Eén-nul!'
'Dat was buitenspel!' schreeuwt Jan-Willem. 'Telt niet.'
'Doen we niet aan,' reageert Zilver met een grijns. 'Wij staan voor.'
Jan-Willem kijkt naar Amy, maar die haalt haar schouders op. 'Buitenspel doet niet mee.'
'Zo vind ik er niks aan!' briest Jan-Willem. 'Ik kap ermee.'
'Ik ook,' zegt Melina. 'Jullie spelen vals.'
Op dat moment komt Zilvers vader het speelveld op. 'Jullie cupcakes zijn klaar om versierd te worden,' roept hij.

Meteen is de boosheid vergeten. Ze rennen terug naar de bakkerij. Op de werktafel staan de vijf cupcaketrays.
'Deze is van mij.' Sara herkent haar cakejes meteen. De rode pitjes zijn nog duidelijk te zien. 'Ik ga iets met aardbeien doen.'
'En deze is van mij.' Amy pakt haar tray.
Even later hebben ze alle vijf hun cakejes uit de tray gehaald.
'Versieren is eigenlijk het leukste,' zegt Amy. 'Wat zal ik eens doen?' Ze kijkt naar de spullen op de werktafel.
'Eerst moet je crème maken,' zegt Zilver.
'Hoeft niet,' roept Amy. 'Je kunt ook meteen marsepein doen, of chocola.'
Jan-Willem schudt zijn hoofd. 'Nee, ik wil crème van kaas.' Hij pakt het busje strooikaas. 'Lekker!'
'Mmm,' zegt Melina. 'Ik ga chocoladecrème maken.' Ze pakt de pot met chocoladepasta. 'Waar is de boter?'

'Ik wil colacrème maken,' zegt Amy. 'En jij?'
Melina twijfelt. 'Ik weet niet.'

Chocoladecrème

Nodig:
100 g zachte boter
35 g poedersuiker
1 eetlepel chocoladepasta

Klop de boter met de poedersuiker in 10 minuten lekker luchtig.
Doe dan de pasta er beetje bij beetje bij. Blijf kloppen tot alles goed gemengd is.

Kaascrème

Nodig:
100 g zachte boter
50 g poedersuiker
30 g strooikaas of 1 eetlepel smeerkaas

Klop de boter met de poedersuiker in 10 minuten lekker luchtig.
Doe dan de kaas er beetje bij beetje bij. Blijf kloppen tot alles goed gemengd is.

Pindakaascrème

Nodig:
100 g zachte boter
100 g poedersuiker
1 eetlepel pindakaas

Klop de boter met de poedersuiker in 10 minuten lekker luchtig.
Doe dan de pindakaas er beetje bij beetje bij. Blijf kloppen tot alles goed gemengd is.

Aardbeiencrème

Nodig:
100 g zachte boter
200 g poedersuiker
2 eetlepels aardbeienjam

Klop de boter met de poedersuiker in 10 minuten lekker luchtig.
Doe dan de aardbeienjam er beetje bij beetje bij. Blijf kloppen tot alles goed gemengd is.

'Waar ben je gek op?'
Melina lacht. 'Op pindakaas.'
'Nou, dan maak jij toch pindakaascrème!'
'O, dat vind ik ook lekker,' roept Jan-Willem.
'Ik weet wat,' zegt Zilver. 'Als we nu allemaal een andere crème maken. Dan kunnen we straks van elkaar pakken.'
Dat vindt iedereen een goed plan en even later zijn ze druk bezig om ieder hun eigen crème voor de topping te maken.

Ze werken hard en geconcentreerd. Langzaam veranderen de kale cupcakes in kleine kunstwerken. Jan-Willem maakt een auto van groene en gele marsepein. Sara snijdt uit het marsepein rode en roze hartjes. Amy bijt op het puntje van haar tong als ze een sterretje van witte chocola op haar crème duwt. Melina is druk bezig met het rollen van allemaal gekleurde marsepeinen sliertjes. Ze maakt een fantasiepony en dit worden zijn manen.
Zilver probeert Pippie te vormen van gesmolten chocola. Ze giet de warme chocola op een stukje bakpapier en duwt snel en vakkundig de chocola die al aan het stollen is in de vorm van Pip-

pie. 'Hmm, lijkt dit op een poes?'

Haar vrienden keuren de poezenklodder goed.
'Net echt,' roept Sara die haar spuitzak vol crème schept.
Zilver grijnst, maar zegt niets. IJverig gaat ze verder.
Na ruim een uur zijn alle cupcakes klaar. Tevreden kijken ze naar alle cakejes die op de werktafel staan.
'Je kunt wel zien welke cupcakes van JW zijn,' roept Sara. Ze wijst naar de cupcake met een knalgele auto. Daarnaast staat er eentje met een paarse marsepeinen motor. Jan-Willem heeft ook een boot gemaakt. Wit met bruin. 'Je hebt allemaal voertuigen gemaakt,' zegt Sara.
Jan-Willem knikt tevreden. 'Ja, twaalf verschillende.' Hij glundert. 'En drie zijn er met kaas. Geinig.'
'Die van mij zijn superzoet,' zegt Sara.
'Ik heb dieren gemaakt,' zegt Melina.
'Ik Pippie,' roept Zilver.
Sara kijkt naar haar eigen creaties. 'Ik heb ze met

fantasiedingen versierd. Gouden sterretjes, een rood marsepeinen tasje, roze hartjes en eentje met alleen maar gekleurde spikkels. Het stelt niet echt wat voor, maar ik vind ze mooi. En lekker vrolijk.'

'De mijne ook,' zegt Amy. 'Vooral die ene met de regenboog. Het lijkt wel een schilderij.'

'Zonde om op te eten,' zegt Jan-Willem. 'Ze moeten naar een museum.'

'Mooi niet!' roept Melina. Ze pakt een van haar cakejes uit de tray. 'Deze gaat er als eerste in.' Ze neemt een hap uit de bovenkant. 'Mmm, die kers is jammie.' Ze neemt nog een hap. En nog één. Het laatste stukje cupcake verdwijnt in haar mond. 'Super!'

De anderen staren haar aan.

'Wat nou?' zegt Melina. Ze likt haar mond schoon. 'Moeten jullie niet proeven?'

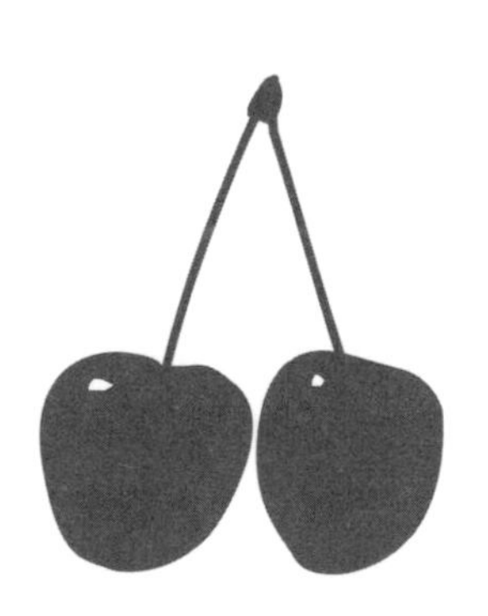

Sara kijkt naar haar cakejes. 'Dat is zonde,' zegt ze.

'Waarom?'

'Omdat ze allemaal zo mooi zijn. Ik wil ze bewaren.'

'Ja, duh! Cakejes zijn om op te eten, niet om naar te kijken.'
'Welke moet ik opeten dan?'
'De lelijkste.'
'Ze zijn allemaal mooi.'
Melina zucht. 'Oké, doe je ogen dicht en wijs er eentje aan.'
Jan-Willem heeft een cupcake uit zijn tray gehaald. 'Ik neem deze,' zegt hij. 'Die motor is toch niet zo goed gelukt. Maar er zit wel een dropsleutel in.' Hij neemt een hap en sluit zijn ogen. 'Mmm, lekker.'
Amy, Zilver en Sara nemen nu ook een cakeje. Eventjes is het heel stil in de bakkerij. Ze genieten van hun cupcakes.
'Oei, dat smaakt naar meer,' zegt Jan-Willem. Hij staart naar zijn cakejes. 'Mijn chocoladespeed boot ziet er ook heel lekker uit.'
'Hij lijkt net echt,' zegt Melina.
'Al jouw cakejes zijn mooi,' zegt Amy. Ze kijkt bewonderend naar de cakejes van Jan-Willem.
Sara lacht. 'Dat geldt voor ons allemaal. Moet je zien hoe mooi dat cakeje met dat poesje van Zilver is. Die kun je zo verkopen in de winkel.'
Er valt een stilte. Vijf paar ogen staren naar de

cupcakes die op de werktafel staan.
Melina is de eerste die iets zegt. 'Verkoopt jouw vader cupcakes in de winkel?'
'Nee, alleen gebak en taart,' antwoordt Zilver. 'Hoezo?'
'Nou...' Melina wacht even. 'We kunnen onze cupcakes ook gaan verkopen.'
'Verkopen?'
'Ja,' zegt Jan-Willem. 'In je vaders winkel.'
Zilver kijkt verbaasd. 'Ik weet niet... Ik denk...' Ze zwijgt.
'We hebben 55 cupcakes,' gaat Jan-Willem verder. 'Vijf keer elf.'
Sara kijkt hem bewonderend aan. 'Jij kunt goed rekenen.'
'O, ik doe gewoon vijf keer tien en dan nog vijf keer één. Dat is samen 55.'
'Ja, ja.' Sara fronst haar wenkbrauwen. Rekenen is niet haar sterkste kant.
'We kunnen het vragen,' zegt Amy.
'Als we het allemaal willen.' Jan-Willem kijkt rond. 'Nou?'
'Ik wil wel,' zegt Amy. 'Kunnen we meteen zien welke cupcakes het beste verkopen.'
'Ik ook,' roept Sara.

'Melina?' Jan-Willem kijkt Melina vragend aan. Ze knikt.
'Is goed.'
Zilver heeft het allemaal aangehoord. Ze twijfelt. 'Ik weet niet of mijn vader dit wel wil,' mompelt ze. 'Hij is niet zo van de cupcakes.'
'We kunnen het proberen,' zegt Melina.
'Ja, dat is waar.' Zilver haalt diep adem. 'Oké, ik ga het vragen.'
'Wij gaan mee,' zegt Jan-Willem.
Zilver opent haar mond om wat te zeggen, maar dan knikt ze.

Sep legt drie broden op de toonbank. 'Dat is dan zes euro, mevrouw.' De vrouw geeft hem drie muntstukken van twee euro. Als ze de winkel verlaat, zijn er geen klanten meer. Josje is bezig met het schoonmaken van het toonbankglas.
'Zo jongens.' Zilvers vader veegt zijn handen schoon aan zijn schort. 'Is het gelukt?'
Zilver knikt.
'Ze zijn fantastisch geworden, meneer,' zegt Sara. 'Wilt u ze zien?'

Chocoladefiguren maken

Nodig:
1 reep pure chocola
bakpapier
bakvormpjes of 1 scherp mes
1 pan
1 rond schaaltje dat kan drijven
1 lepel

Doe een laag water in de pan.
Verwarm het water (niet laten koken!)
Laat het schaaltje op het water drijven.
Breek de chocoladereep in stukjes en doe die in het schaaltje.
Roer zacht door de chocola als deze smelt.

Leg een stuk bakpapier op een gladde ondergrond.
Giet de warme chocola op het bakpapier.
Strijk de chocola uit met een mes of spatel.
Laat de chocola stevig worden.
Je kunt met verschillende bakvormpjes nu figuren uit de chocola steken, of zelf een figuur uitsnijden met een scherp mesje!
Leg je chocoladefiguur in de koelkast tot je het wilt gebruiken.

Echte blaadjes van chocola

Zoek een mooi blad uit je tuin en maak dit voorzichtig schoon onder de kraan.
Leg een stuk bakpapier op een gladde ondergrond.
Leg het blaadje op het bakpapier.
Giet nu gesmolten chocola over het blad.
Smeer de chocola uit en laat die stevig worden.
Leg het blad met de chocola in de koelkast tot de chocola hard is.
Nu kun je het blaadje van de chocola trekken: je hebt een echt chocoladeblad voor op je cupcake.

Sep kijkt door de etalage naar buiten. Het is stil op straat. 'Vooruit, eventjes dan.' Hij kijkt naar Josje. 'Ik ben even achter in de bakkerij. Let jij op?'

Josje knikt.

Even later staan ze bij de werktafel. Sep knikt goedkeurend. 'Nou nou, ze zijn prachtig. En ik zie dat jullie er allemaal eentje geproefd hebben?' Hij buigt voorover. 'Zijn ze lekker?'

'Ja, pap. Heel lekker.' Zilver lacht. 'Afblijven.'

Haar vader draait een van de trays naar zich toe. 'Toe maar, een echte speedboot.'

'Van mij,' zegt Jan-Willem. 'Van pure chocola.'

'Dat heb je knap gedaan.'

Sep bekijkt alle cakejes. 'Jullie hebben echt je best gedaan.'

Jan-Willem stoot Zilver aan. 'Toe dan.'

'Pap?' Zilvers stem trilt. 'Vind je ze echt mooi?'

'Ja, meissie, dat zeg ik toch.'

'Ik bedoel mooi-mooi.'

Sep lacht. 'Ja, ik vind ze mooi-mooi.'

'Mooi genoeg voor in je winkel?'

Er valt een stilte. Sep bekijkt de cupcakes. 'Eh… je bedoelt…'
'Ze bedoelt of we ze in uw winkel mogen verkopen,' zegt Sara.
'Nou… eh… ja, op zich wel.' Sep glimlacht. 'Maar jullie nemen ze lekker mee naar huis, toch?' Hij schudt zijn hoofd. 'Ik denk dat jullie ouders ze heel graag willen zien en proeven.'
'We wilden ze graag verkopen,' zegt Jan-Willem.
'Ja,' gaat Melina verder. 'In uw winkel.'
Zilver pakt haar vaders hand. 'Mag het, pap?'
'Please?' smeekt Melina.
'Om te kijken of ze echt mooi en lekker zijn,' vult Sara aan.
'Tja jongens.' Sep tuit zijn lippen en denkt diep na. 'Eigenlijk kan ik dat niet doen.'
'Waarom niet?' vraagt Zilver. 'Ze zijn toch mooi.'
'En lekker,' zegt Amy.
'Daar gaat het niet om,' legt Sep uit. 'Alles wat ik in de winkel verkoop moet goedgekeurd zijn. En je moet precies kunnen zeggen wat erin zit. Welke granen, en of er kleurstoffen in zitten, suikers… alles. De wet is daar heel streng in. En ze moeten natuurlijk lekker zijn.'
'U mag er eentje proeven,' zegt Jan-Willem.

'Ja, pap,' zegt Zilver. 'Hier, proef deze maar.' Ze pakt een van haar cupcakes en geeft die aan haar vader. 'Met roze marsepein en zilveren parels.'
'Ja, maar...' Sep pakt het cakeje aan.
'Toe dan!' Gespannen kijkt Zilver hoe haar vader een hap neemt.
'En?'
Sep beweegt zijn mond, maar zegt niets. Vijf paar ogen kijken toe hoe de bakker het cakeje opeet.
'Zeg dan wat,' zegt Zilver.
Sep wuift met zijn hand en slikt. 'Heerlijk. Echt!'
'Ja?' Zilver lacht. 'Dus je vindt het goed?'
Sep denkt na. 'Nou, vooruit dan maar. Ik denk dat een paar cupcakes geen kwaad kunnen.'
Er klinkt een oorverdovend lawaai. Zilver en haar vrienden gillen het uit. Als ze wat bedaard zijn, legt Sep uit hoe hij het gaat aanpakken. 'Ik zal een van de vitrineplaten vrijmaken.' Hij kijkt op zijn horloge. 'Het is nu drie uur. Op woensdag komen er altijd nog heel wat klanten aan het eind van de middag, dus wie weet.'
'Mogen we het geld dan houden?' Sara krijgt een kleur. 'Ik bedoel... de cupcakes zijn van ons. Dus als we ze verkopen, is het geld van ons, toch?'
Sep grijnst. 'Een zakenvrouw in de dop!'

Sara voelt haar wangen nog roder worden dan ze al zijn.
'Ik vind het goed,' zegt Sep. 'Maar op één voorwaarde.' Hij wacht even. 'Als er na een uur nog niets verkocht is, stoppen we ermee, oké?'
Ze knikken allemaal.
'Kom maar mee,' zegt Sep.
Terwijl ze al hun cakejes terug in de tray zetten, loopt Zilvers vader alvast terug naar de winkel.
'Ik weet zeker dat de mensen ze gaan kopen,' zegt Sara.
'Ligt eraan wat je ervoor vraagt,' merkt Zilver op.
'Hoezo?'
'Nou, als je ze duur maakt, verkoop je ze niet,' legt Zilver uit.
'Dan doen we ze lekker goedkoop.'
'Nee,' zegt Zilver. 'Want als iets te goedkoop is, dan willen de mensen het ook niet.'
'Huh?'
'Dan denken ze dat het slechte kwaliteit is.'
'Echt?'
Zilver knikt. 'Zo zijn mensen.'
'Wat vind jij dan dat we moeten

vragen?' vraagt Melina.
Zilver denkt na. 'Een echt gebakje van mijn vader kost twee euro vijftig. Dus dan moeten onze cupcakes goedkoper.'
'Eén euro vijftig?' oppert Sara.
'Eén euro is beter, denk ik.'
Jan-Willem is al aan het rekenen. 'Dan verdienen we 54 euro. Wij ieder elf euro en jij tien.' Hij geeft Zilver een knipoog. 'Jouw vader heeft er eentje opgegeten.'
'Dat is veel!' Sara glundert. 'Dan kan ik die make-updoos kopen.'
'En ik dat nieuwe boek van Marion van de Coolwijk,' zegt Amy.
'En ik nieuwe drumstokken,' zegt Melina.
Jan-Willem kijkt verbaasd. 'Drum jij?'
Melina knikt.
'Stoer, hoor!' Hij fluit tussen zijn tanden.
'Iedereen kan drummen,' zegt Sara. 'Daar is niets aan. Een beetje rammen op trommels.'
Melina wil wat zeggen, maar ze krijgt de kans niet.
'Kom,' zegt Zilver. 'We gaan de cakejes naar de

winkel brengen.' Ze pakt haar tray op en loopt als eerste naar de winkel. De anderen volgen haar.
Sep heeft een glasplaat in de vitrine vrijgemaakt. Heel voorzichtig zetten ze hun cupcakes op de plaat. De vitrine staat voor het etalageraam. De mensen op straat kunnen de cupcakes goed zien.
'We willen er één euro voor vragen,' zegt Zilver.
Haar vader knikt en pakt een prijskaartje uit zijn la. 'Hier, zet deze er dan maar bij.'
Zilver zet het prijskaartje helemaal vooraan in de vitrine, zodat de mensen het goed kunnen zien.
'En nu maar afwachten.'
Josje komt bewonderend kijken. 'O, wat zijn ze mooi. Ik wil er eigenlijk wel eentje kopen.'
Jan-Willem doet een stap naar voren. 'Welke wil je? De auto, de motor...'
Zijn zus bekijkt de cupcakes goed. 'Ik wil die met dat chocoladepoesje. Die lijkt me lekker. Ik ben gek op chocola.'
Jan-Willem kijkt teleurgesteld. 'Maar die is niet van mij.'
Zilver haalt haar cupcake uit de vitrine en geeft die aan Josje. 'Dat is dan één euro.'
Josje haalt een muntstuk uit haar broekzak. 'Dankjewel. Ik ga hem straks opeten.'

Als Josje terugloopt naar de toonbank, laat Zilver de euro zien. 'We hebben er eentje verkocht, pap. Nu mogen we tot zes uur door, toch?'
Haar vader knikt. 'Ja, beloofd is beloofd.'
'Gaan we alles delen?' vraagt Sara. Ze kijkt jaloers naar de euro van Zilver.
'Hoezo?' vraagt Zilver.
'Nou, dat we al het geld delen. Dan blijft het eerlijk. Dus niet van wie het cakeje is, maar gewoon alles bij elkaar.'
Jan-Willem leeft op. 'Ja, goed plan. Dan maakt het niet uit wiens cakeje wordt verkocht. We delen gewoon het geld.'
Zilver schudt haar hoofd. 'En wat doen we dan met de cakejes die overblijven? Als die van mij allemaal verkocht zijn, dan heb ik geen cakejes meer. Maar ik moet wel het geld delen met jullie.'
'Dan delen we ook de cakejes die over zijn,' zegt Melina.
Zilver haalt haar schouders op. 'Oké, als jullie dat willen.'
Amy, Sara, Melina en Jan-Willem knikken.
'Jij bewaart al het geld en dan delen we het straks,' stelt Melina voor.
Zilver knikt, maar helemaal tevreden voelt ze zich niet.

Het belletje gaat en er stapt een mevrouw de winkel binnen.
'Goedemiddag.' Sep knikt vriendelijk. 'Waarmee kan ik u van dienst zijn?'
De mevrouw kijkt naar de vitrine. 'Zijn die nieuw?'
'Ja, mevrouw,' antwoordt Sara. 'En ze zijn superlekker!'
De vrouw mompelt wat onverstaanbaars.
'Ze zijn maar één euro per stuk,' zegt Amy.
'We hebben hier ook gebak,' zegt Sep en hij wijst op de gebakjes onder de toonbank.
'Doet u mij maar vijf van deze kleine ronde taartjes,' zegt de vrouw.
'Het zijn cupcakes,' legt Sara uit.
'Cupcakes?' herhaalt de vrouw. 'Hmm, ze verzinnen ook van alles.'
'Welke wilt u?' Sara heeft de vitrine al opengedaan.
Terwijl Zilver een gebaksdoosje bij haar vader haalt, wijst de vrouw vijf cupcakes aan. Sara doet ze in het doosje en de vrouw rekent af bij de kassa. Als ze de winkel verlaten heeft,

geeft Sep vijf euro aan Zilver. 'Dat gaat goed!'
Zilver stopt het geld in haar zak. Zes euro hebben ze nu al.
Een uur lang blijven ze in de winkel. Steeds als er klanten komen, prijzen ze hun cupcakes aan. De mensen zijn enthousiast. Sommigen eten hun cupcake ter plekke op. Het is een groot succes.
'Verrukkelijk,' roept een meisje. 'Wat een aparte smaak.'
'Superlekker,' zegt een meneer die er vier koopt, maar er eentje in zijn mond propt nog voordat hij de deur uit is.
Ze verkopen wel vijftig cupcakes. Als het kwart voor zes is, zijn ze moe.
'Ik heb dorst,' zegt Jan-Willem. 'En mijn benen doen zeer.'
'Winkeltje spelen is moeilijker dan je denkt, hè broertje?' Josje trekt haar winkeljas uit. 'Ik ga naar huis. Mijn werk zit erop. Fijne avond allemaal!'
Terwijl ze de winkel verlaat, kijkt Zilver naar de laatste vier cupcakes in de vitrine. Ze hebben niet alle cakejes verkocht.

'Ik heb ook eigenlijk wel honger,' gaat Jan-Willem verder. 'Zullen we de cakejes opeten? Er komt nu toch niemand meer.'
Net op dat moment gaat de bel en een meneer stapt de winkel binnen. 'Goedemiddag,' zegt hij. 'Mijn vrouw zei dat hier van die heerlijke cakejes te koop waren. Ze had er vanmiddag vijf gekocht voor de visite, maar nu willen we er nog een paar voor vanavond. Ze waren echt heel apart. Anders dan anders, zeg maar.'
Hij kijkt naar de vitrine. 'Zijn dat de laatste?'
Melina knikt. 'Ja, nog vier.'
'Doe die dan maar,' zegt de man.
'Alle vier?'
'Ja, dat kan toch wel?'
'Natuurlijk, ja.' Melina pakt een gebaksdoos en samen met Amy haalt ze de laatste cupcakes uit de vitrine.
'Dat is dan vier euro,' zegt Zilver. Ze neemt de twee munten van twee euro in ontvangst. 'Nu is alles op.'
De man glimlacht. 'Ik neem aan dat er weer nieuwe worden gemaakt, toch? En dat ze dan precies zoals deze smaken?'
Sep komt achter de toonbank vandaan. 'Geen

probleem, meneer. We hebben het recept.'
De man zegt gedag en loopt de winkel uit.
'Alles verkocht!' juicht Sara.
'Zoveel cupcakes in twee uur.' Jan-Willem kan het niet geloven. 'We zijn rijk!'
Sep feliciteert hen. 'Fantastisch gedaan, jongens. Ik ben overtuigd. De mensen vonden het top.' Hij lacht. 'Jullie hebben wel heel speciale cupcakes gebakken. Als jullie mij het recept geven, dan gaan we ze vanaf nu verkopen.'
'Het recept?' mompelt Zilver.
'Ja, het recept. Jullie weten toch wel hoe je die cupcakes gemaakt hebt?'
Zwijgend kijken ze elkaar aan.
'Eh... nee, niet echt,' zegt Jan-Willem.

Een goed idee

WEETJE

Een cupcake in de vorm van een hartje? Doe een papieren vormpje in een cupcake bakblik. Duw een knikker tussen je papieren cupcakevorm en de vorm in het bakblik. Het papier komt dan iets naar binnen. Als je de papieren vorm vult met beslag, krijgt de cupcake een hartjesvorm.

Wat verlegen staren ze naar de bakker.
'We hebben zomaar wat gedaan,' zegt Amy.
'Ja,' vult Jan-Willem aan. 'Beetje van dit, beetje van dat. U kent dat wel.'
'Nou nee,' zegt Sep. 'Dat ken ik niet. Het bakken van taarten luistert behoorlijk nauw. Je moet je aan een recept houden, anders mislukt het.' Hij wendt zich tot Zilver. 'Jij had toch cupcakerecepten geregeld? Waar zijn die?'
'In de bakkerij,' antwoordt Zilver. 'Maar we hebben ons niet echt aan die recepten gehouden.' Ze denkt terug aan Pippie en de enorme puinhoop die ze hadden veroorzaakt in de bakkerij. Dat wil ze niet aan haar vader vertellen.
'We wilden eens wat anders, meneer,' zegt Melina.
Sep zucht. 'Lekker is dat! Hoe weet ik dan hoe ik die cupcakes moet maken?' Hij wrijft in zijn handen. 'De klanten willen heel graag cupcakes, maar dan moeten ze wel dezelfde smaak hebben als die van vandaag.'

'Het spijt me, pap.'
'Ja, heel jammer.' Haar vader loopt naar de deur. 'Maar... voor vandaag zit het erop. We gaan sluiten.' Hij draait de deur op slot. 'Morgen weer een nieuwe dag!' Hij trekt zijn bakkersjas uit. 'Als het goed is, heeft mama patat gebakken. Lusten jullie dat?'
Er klinkt gejuich en even later zitten ze allemaal aan de grote keukentafel.
'Dus het ging goed,' zegt mama.
'Hmmpmp.' Zilver knikt. Ze heeft haar mond vol patat.
'We hebben alle cupcakes verkocht,' zegt Amy.
'54 euro,' roept Jan-Willem. 'Ieder elf en Zilver tien.'
'Zo, toe maar. Jullie zijn rijk!'
'Nou en of!' Sara kijkt naar Zilver. 'Laat maar zien.'
Zilver graait in haar zakken en haalt er wat briefjes en munten uit. Jan-Willem telt het na. 'Tien... twintig... dertig... veertig... vijftig... vierenvijftig. Klopt.' Handig verdeelt hij het geld. 'Ik ga een nieuwe game kopen.'
'En ik een make-updoos,' roept Sara.
Ook Amy en Melina weten precies wat ze met

hun verdiende geld gaan doen.
'En jij, Zilver?' vraagt Jan-Willem. 'Wat ga jij kopen?'
'Niets.' Zilver duwt een frietje in de mayonaise. 'Ik weet niets.'
'Dat is waar.' Amy lacht. 'Jij hebt zoveel cadeautjes gehad.'
'Jij hebt alles al,' zegt Sara.
'Ja,' reageert Melina. 'Je kunt het net zo goed weggeven.' Ze lacht.
Mama legt haar vork neer. 'Dat is best een goed idee, Melina.'
'Wat? Weggeven?'
'Ja, als je zelf alles al hebt, kun je er iemand anders blij mee maken. Iemand die niet zoveel heeft. Een goed doel.'
'Zoals?'
'Mij bijvoorbeeld.' Sara lacht. 'Ik ben een heel goed doel. Met jouw tien euro erbij kan ik ook die sieradendoos nog kopen. Die heb ik nog niet.'
'Nou,' zegt bakker Sep. 'Ik denk dat mijn vrouw wat anders bedoelt.' Hij denkt na. 'En jullie mogen ook niet vergeten dat de ingrediënten wel betaald moeten worden. Als je geld wilt verdienen, moet je ook de kosten berekenen.'

'Maar u hebt al die spullen toch al in de bakkerij?' zegt Sara.
Sep lacht. 'Ja, maar die heb ik ook gewoon betaald.'
'Luister,' zegt mama. 'Als jullie de opbrengst aan een goed doel schenken, dan stellen wij de ingrediënten beschikbaar. Toch, Sep?'
Sep knikt. 'Dat is een goed idee. Denk er maar eens over na.'
Het wordt stil aan tafel. Jan-Willem schept nog wat patat op. Sara staart naar het geld op tafel.
'Ik vind het eigenlijk wel een goed idee,' zegt Zilver. 'En ik weet ook al aan wie ik het geef. Pippie komt uit het dierenasiel. Daar zijn nog zoveel andere dieren die verzorgd moeten worden.'
'Ik doe mee.' Melina schuift haar euro's naar Zilver toe. 'Ik koop er toch alleen maar snoep voor.'
Amy knikt. 'Goed plan. Dat nieuwe boek van Marion van de Coolwijk kan ik ook in de bieb lenen.'
Zilver kijkt naar de 32 euro die bij haar bord ligt. Dit voelt goed.
'En jullie?' Amy kijkt naar Sara en Jan-Willem. 'Doen jullie ook mee?'
'Ik heb niets met dieren,' zegt Sara.

'Dan doe jij toch een ander goed doel.'
'Zoals?' Sara schuift op haar stoel heen en weer. 'Ik weet niets.'
Jan-Willem wrijft met zijn vingers over zijn geld. 'Ik wil wel meedoen, maar...' Hij aarzelt. 'Die game is net uit en ik kom nog tien euro te kort.' Hij staart naar het geld. 'Oké,' zegt hij dan. 'Ik doe mee. Dan spaar ik nog wel even door voor die game.' Hij schuift het geld naar Zilver. 'Voor de zielige dieren.'
Zilver lacht. 'Zo zielig zijn ze niet, hoor. Ze moeten alleen verzorgd worden en dat kost veel geld. De mensen die in het asiel werken doen dat ook gratis.'
Sara heeft al die tijd niets gezegd, maar zit nu rechtop. 'Ik ga wel een dagje helpen in het asiel. Dat is toch ook wat waard?'
'Tuurlijk,' zegt Sep. 'Dat is zeker wat waard. Ze kunnen alle hulp gebruiken.'
Jan-Willem stoot Sara aan. 'Doe niet zo flauw.'
'Wat nou.' Sara stopt haar geld in haar zak. 'Dat bepaal ik zelf wel.'
'En zo is het,' zegt mama. 'Iemand een ijsje toe?'

Die avond ligt Zilver in bed. Ze is moe, maar kan niet slapen. Steeds moet ze denken aan de troep in de bakkerij, de gekke cakejes en het succes in de winkel. Jammer dat ze het recept niet hebben van de cakejes. Nu kan papa ze niet namaken. Onrustig woelt ze in haar bed. Het is net of er diep vanbinnen iets zit wat eruit wil. Maar wat?
Het is volle maan. Zilver staart naar de smalle lichtstreep die tussen haar gordijnen door op haar nieuwe dekbed valt. De bonte kleuren maken haar vrolijk. Oma heeft precies het juiste dekbed gevonden. Roze, met overal sierlijke cupcakes. Zilver bekijkt ze een voor een. Ze zijn grappig en allemaal anders van kleur en vorm. Dat maakt haar dekbed fleurig.
Plotseling weet ze het. Dat is het! Ze gaan nog meer cakejes bakken. Melina, Sara, Amy en Jan-Willem. Samen! In gedachten ziet ze de cakejes in de vitrine van de winkel staan. Haar vader kan de cakejes verkopen. Voor het goede doel.

Zilver glimlacht. Wat een goed idee. Ze richten een club op. En ze weet ook al een naam. Sierlijke letters dansen voor haar ogen. DE CUPCAKECLUB. Een club die cupcakes bakt voor het goede doel. Briljant! Dat ze daar niet eerder aan gedacht heeft.

Zilver zit nu rechtop in haar bed. Zou het kunnen? Haar hart bonkt in haar keel. Het is een geweldig plan. Maar dan moeten de anderen wel meedoen. In je eentje ben je geen club. En ze moeten regelmatig bij elkaar komen. Zoals echte clubs doen. Dat kan in de bakkerij, als papa het goedvindt.

Opgewonden knipt ze haar nachtlampje uit. Morgen gaat ze het vragen. Tevreden valt ze in slaap.

Een echt geheim

WEETJE

Je kunt een chocolaatje, toffee of caramel in je beslag duwen en meebakken. Er zit dan een verrassing in je cupcake!

'Goed plan,' zegt Melina.
'Maar hoe wil je dat doen dan?' Sara leunt tegen het klimrek. Ze staan op het schoolplein. Het is nog vroeg. De school gaat zo beginnen. Zilver heeft net haar plan uitgelegd aan haar vriendinnen.
'We gaan elke woensdagmiddag cakejes bakken,' zegt Zilver. 'En die verkopen we dan in de winkel voor een goed doel.'
Sara fronst haar wenkbrauwen. 'Een goed doel?'
'Ja, elke keer weer een ander doel,' zegt Amy en ze slaat haar handen ineen. 'Zestig euro is veel geld.'
'Daarom juist,' zegt Sara. 'Dat is voor ieder twaalf euro.'
'We doen het voor het goede doel,' zegt Zilver. 'Anders wil mijn vader het niet.'
'O.' Sara staart naar haar schoenen. 'Elke woensdagmiddag?'
'Ja, dat kan toch? We spelen toch bijna elke week

bij elkaar. Niemand van ons hoeft ergens naartoe, toch?'
Melina schudt haar hoofd. 'Ik heb op dinsdag drumles.'
'En Jan-Willem dan?' vraagt Amy. 'Die zit op voetbal. Moet hij niet trainen?'
Zilver schudt haar hoofd. 'Ik heb het hem al gevraagd, maar hij kan. Hij traint op dinsdag- en donderdagavond.'
'Dus Jan-Willem doet ook mee?' vraagt Sara. Ze denkt na. Haar ogen lichten op. 'Elke woensdag, zei je?'
Zilver knikt. Ze kijkt Sara gespannen aan. 'Doe je nou mee of niet?'
'Oké, ik doe mee.' Sara recht haar rug. 'Maar alleen omdat iedereen meedoet.'
'Je bedoelt Jan-Willem,' mompelt Amy.
'Huh? Wat zeg je?'
'Nee, niets! Laat maar.' Amy geeft Zilver een knipoog. 'Het wordt vast supergezellig.'
'Vijf kinderen die cakejes bakken voor het goede doel.' Melina lacht. 'Misschien komen we wel in de krant.'

Zilver schudt haar hoofd. 'Nee, nee, dat kan niet. Mijn vader wil niet dat iemand het weet. Hij moet zich aan de regels van de inspectie houden. Het is verboden om kinderen in de bakkerij te laten werken om geld te verdienen. Dus niemand mag het weten.'

'O, dus het is geheim wat we doen?'

'Ja, eigenlijk wel.'

'Stoer.' Melina grijnst. 'Dan zijn we dus een geheime club.'

Zilver knikt. 'Mijn vader mag de cakejes alleen verkopen als hij ze zelf gebakken heeft. Niemand mag dus weten dat wij het doen.' Zilver wacht even. 'En hij wil de recepten hebben.' Ze grijnst. 'Dus geen fantasierecepten meer zoals op mijn feestje. Mijn vader wil geen bekeuring. Als de inspecteur komt, moet hij precies kunnen vertellen welke ingrediënten er in de cakejes zitten.'

'Waarom eigenlijk?' vraagt Melina.

'Omdat er mensen zijn met een allergie. Die mogen bepaalde dingen niet, anders worden ze ziek.'

'O.' Melina snapt het.
'Dus geen gekke recepten meer,' mompelt Amy teleurgesteld.
'Tuurlijk wel,' roept Melina. 'We kunnen toch gekke recepten bedenken en dan alles opschrijven?'
'In een geheim schrift,' stelt Amy voor.
Ze hebben niet in de gaten dat David en Kas uit de klas van Jan-Willem bij het klimrek zijn komen staan.
'Hebben jullie geheimen?' vraagt David. 'Spannend!'
'Gaat je niets aan,' zegt Melina. 'Hoepel op!'
'Hee,' moppert Kas. 'Doe niet zo onaardig.'
'Je staat ons af te luisteren.'
'Helemaal niet. We wilden naar boven klimmen.'
'Ja, ja.' Melina slaat haar armen over elkaar. 'Wel heel toevallig.'
David klimt het rek op en komt boven de vier meiden te zitten. 'Waar is dat schrift?'
'Welk schrift?' sist Zilver.
'Dat geheime schrift.'
'Nergens. Er is geen geheim schrift.' Zilver is blij dat ze de waarheid kan spreken. Er is nog helemaal geen schrift.

Kas is naast David komen zitten. 'Iets met recepten? Hoorde ik dat nou goed?'
Sara trekt aan het been van Kas. 'Hoelang hebben jullie staan afluisteren?'
'Afluisteren?' Kas trekt een raar gezicht. 'Dat doen jongens niet.'
De schoolbel gaat en de deur van de school gaat open.
'Hmm.' Sara laat zijn been los. 'Blijf lekker klimmen, jongens. Wij gaan.' Ze wenkt haar vriendinnen en samen lopen ze de school in.
'Zie je nou wel dat we het geheim moeten houden,' fluistert Zilver als ze bij de kapstok staan. 'Als iemand erachter komt, is mijn vader de klos. Niemand, maar dan ook niemand mag weten dat wij elke woensdagmiddag...'
'Sssst, niet zeggen,' sist Amy.
'Niemand?' vraagt Melina en ze kijkt om zich heen.
'Niemand!' antwoordt Zilver.
'Ook mijn vader en moeder niet?' vraagt Amy.
'Nee,' antwoordt Zilver. 'Echt niemand. Beloofd?'

Zilver kijkt haar vriendinnen gespannen aan.
'We moeten het zweren,' zegt Sara. Ze steekt haar rechterhand vooruit. De anderen leggen hun hand erbovenop.
'Wij beloven dat we niemand vertellen dat wij de cupcakeclub zijn,' fluistert Sara. 'En we vertellen niemand dat wij de cupcakes maken die Sep in zijn winkel verkoopt.'
'Voor het goede doel,' vult Zilver aan.
Sara aarzelt.
'Zeg dan!'
'Voor het goede doel,' zegt Sara.
Ze staren naar hun handen en fluisteren een voor een: 'Beloofd!'
'Ha, Zilver.' De juf staat bij de deur en steekt haar hand op. 'En? Is het gelukt?'
Zilver hangt haar jas aan de kapstok. 'Wat bedoelt u, juf?' vraagt ze.
Amy, Sara en Melina komen erbij staan.
'Dat lekkers dat jullie gisteren gingen maken,' zegt de juf. 'Ik ben benieuwd.'
Zilver krijgt een kleur. O, helemaal vergeten. Ze zouden wat meenemen voor de juf.
'Eh... ja, weet u. We...'
'We hebben cupcakes gebakken,' zegt Amy.

‘Mmm, lekker.’
‘Maar ze zijn op.’
De juf lacht. ‘Jullie hebben alles zelf opgegeten?’
Zilver buigt haar hoofd.
‘Nou, dan waren ze vast heel lekker,’ gaat de juf verder.
‘Ja, juf. Heerlijk,’ roept Sara. ‘Maar we hebben ze niet allemaal opgegeten, hoor. We hebben ze...’
Zilver doet een stap naar voren en stoot Sara aan.
‘...ook mee naar huis genomen. En daar zijn ze opgegeten.’
‘Ja,’ zegt Melina. ‘Jan-Willem heeft vier zussen.’
Sara zwijgt.
‘Ze zijn allemaal op.’ Melina knikt tevreden. ‘Ze waren ook zo lekker.’
‘Dat kan ik geloven,’ zegt de juf. ‘Dus het was gezellig?’
Zilver knikt. ‘Zeker weten.’
‘Daar gaat het om.’ De juf loopt de klas in.
‘Je had ons bijna verraden,’ fluistert Amy.
‘Helemaal niet,’ bromt Sara. ‘Ik wilde alleen maar...’ Ze stopt met praten als er een paar jongens langslopen.
‘Lekker aan het smoezen?’ vraagt Kas.
‘Over geheime schriften?’ vult David aan.

De andere jongens kijken nieuwsgierig.
'En recepten?' David lacht. 'We komen er echt wel achter, hoor.'
Sara doet een stap naar voren, maar Zilver houdt haar tegen. 'Niet doen. Ze proberen ons uit onze tent te lokken. Hoe minder we zeggen hoe beter.'
Sara knikt. 'Je hebt gelijk.' Haar boze blik verdwijnt. 'We zwijgen!'
De jongens lopen door naar het eind van de gang. Daar is de klas van meester Thijs.
'O, o.' Melina staart naar het eind van de gang. 'Jan-Willem.'
Ze draaien zich om en zien Jan-Willem bij de deur van zijn klas staan. Hij praat met meester Thijs.
'Wat is er met Jan-Willem?' fluistert Zilver. 'Weet hij dat het een geheim is?'
'Ja, min of meer.'
'Min of meer?' Melina reageert fel. 'Wat nou als hij het aan iemand vertelt?'
'Dat doet hij niet.' Maar Zilver is niet zo zeker van haar zaak. Haar stem trilt. David en Kas staan nu ook bij meester Thijs.

'Komen jullie, dames?' De juf staat in de deuropening.
'Hij moet het weten,' sist Sara. 'Straks vertelt hij het aan die twee.'
Zilver denkt na. Sara heeft gelijk. Ze heeft Jan-Willem niet echt duidelijk verteld dat het een geheim moet blijven.
'Ik wil beginnen,' zegt de juf.
'Eh... ik moet nog even naar de wc, juf,' zegt Zilver.
'Ik ook,' zegt Sara. 'Komt vast van die limonade gisteren op het feestje. Sorry, juf!'
De juf schudt haar hoofd. 'Wel opschieten, meiden. Dat hadden jullie eerder kunnen bedenken.'
Terwijl Amy en Melina de klas in lopen, stuiven Zilver en Sara de gang door. Meester Thijs wil net de deur dichtdoen.
'Meester, meester,' roept Sara. 'Mogen we nog heel even iets tegen Jan-Willem zeggen? Het is belangrijk.'
'Zo, zo.' Meester Thijs kijkt de klas in. 'Jan-Willem? Er staan hier twee mooie dames die naar jou vragen.'

Er klinkt gegiechel. Zilver voelt zich ongemakkelijk. Zo maken ze het alleen maar erger. Nu let iedereen op hen. Is dit wel een goed idee?
Jan-Willem komt met een rood hoofd naar de deur gelopen.
'Ik ben benieuwd,' zegt de meester.
Sara schudt haar hoofd. 'Het is privé,' zegt ze. Ze trekt Jan-Willem naar zich toe en fluistert hem wat in zijn oor.
Zilver gluurt langs de meester de klas in. David en Kas kijken nieuwsgierig haar kant op. Zilver voelt haar hart bonken. Dit voelt niet goed. Nu weten ze natuurlijk meteen dat Jan-Willem er iets mee te maken heeft. Hoe heeft ze zo stom kunnen zijn? Ze had niet naar Sara moeten luisteren.
Jan-Willem knikt. 'Oké, beloofd.'
'Klaar?' De meester kijkt nieuwsgierig. 'Ik vertrouw erop dat het inderdaad heel belangrijk was.' Hij geeft Sara een knipoog. 'Maar in de liefde is alles belangrijk, toch?'
Sara krijgt een kleur.
'En nu vlug naar jullie klas.' Meester Thijs laat Jan-Willem de klas weer in en er klinkt gejoel.
'Sara is op Jan-Willem,' roept een jongensstem.
Meester Thijs doet de deur dicht en het geluid verstomt.

Sara en Zilver rennen terug naar hun klas.
'Wat flauw,' zegt Sara.
'Daar kon je op wachten,' moppert Zilver.
'Hij heeft het beloofd.' Sara kijkt tevreden. 'Hij weet nu dat hij het aan niemand mag vertellen. Het blijft geheim.'
'Ik hoop het,' mompelt Zilver. 'Ik hoop het echt.'

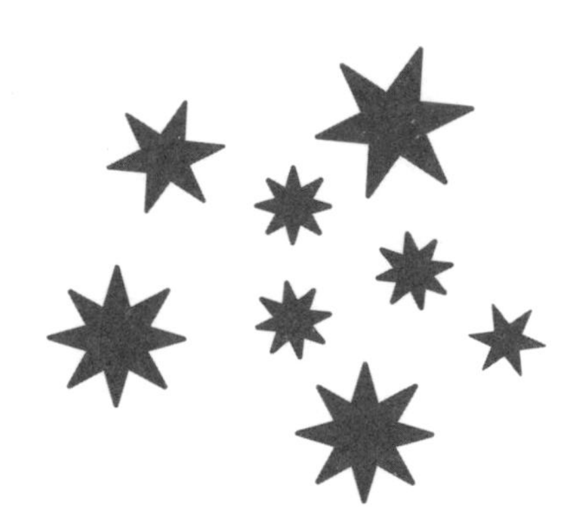

Het geheim van de bakker

WEETJE

Met een grove rasp kun je prachtige chocoladekrullen maken. Gebruik hiervoor een dikke reep chocola. Met een fijne rasp kun je chocolade-'hagelslag' maken.

‘Kom binnen.’ Zilver laat Jan-Willem binnen en sluit de deur. ‘De anderen zijn er al.’
‘Ja, sorry. Ik ben een beetje laat.’ Jan-Willem doet zijn jas uit. ‘Een paar jongens uit mijn klas speelden op het veldje, dus ik moest omfietsen.’
Zilver schrikt. ‘Toch niet David en Kas?’
‘Eh… nee, hoezo?’
‘Die vermoeden iets.’
‘Ja, vind je het gek? Die actie van jullie heeft de hele klas achterdochtig gemaakt. Ze denken nu allemaal dat Sara en ik…’ Hij stopt met praten. ‘Nou ja, het was gewoon niet zo handig van jullie.’ Hij loopt met Zilver mee naar de bakkerij.
‘Hee JW!’ Sara steekt haar hand op.
Jan-Willem loopt naar de werktafel. ‘Hoi.’
‘Is er wat?’
‘Nee hoor, wat zou er moeten zijn?’
‘Ik weet niet.’ Sara kijkt hem onderzoekend aan. ‘Je doet zo… zo…’
‘Zo wat?’

'Geen idee. Laat maar.' Sara pakt een beslagkom.
'Wij zijn al begonnen.'
'Ja,' zegt Amy. 'Ik heb bananenbeslag gemaakt.'
'En ik chocoladebeslag,' roept Melina.
'Hebben jullie het wel opgeschreven in het schrift?' vraagt Zilver. Ze loopt naar de zijkant van de tafel en kijkt in het opengeslagen schrift. Tevreden kijkt ze naar de lijst met ingrediënten die er staan. 'Mooi!'
'Wat ga jij maken, JW?' vraagt Sara.
'Geen idee. Ik zie wel.' Jan-Willem pakt een beslagkom en staart naar alle ingrediënten op tafel. Zilver loopt naar haar plekje en gaat verder met haar beslag.
'Is-ie boos?' sist Sara als Jan-Willem naar de kraan loopt om zijn handen te wassen.
'Nogal,' antwoordt Zilver.
'Waarom?'
'Hij is niet zo blij met ons klassenbezoek. Iedereen denkt nu dat jij op Jan-Willem bent.'
'O?' Sara krijgt een kleur.

Zilver kijkt nieuwsgierig. 'En? Is dat zo?'
'Nee, natuurlijk niet,' bromt Sara. 'Hoe kom je daar nou bij?'
Zilver glimlacht, maar zegt niets meer.
Ze werken ijverig door. Alles wat ze doen, schrijven ze op in het schrift. Iedereen heeft een eigen pagina. Zo ontstaan er vijf verschillende recepten. Zilvers vader komt de cupcakes na een uurtje in de oven zetten. Terwijl de cakejes bakken gaan ze naar Zilvers kamer, waar de limonade en chips al klaarstaan.
'Het lijkt wel weer een verjaardagsfeestje,' zegt Melina.
Ze vermaken zich prima met kletsen, gamen en spelletjes. Zelfs Jan-Willems boze bui is verdwenen als ze na een uurtje weer in de bakkerij komen. De cakejes staan af te koelen op de werktafel.
Amy is de eerste die bij de tafel staat. Ze duwt met haar vinger op een van de cakejes en kijkt tevreden. 'Goed gelukt,' zegt ze.
De deur van de winkel gaat open en Sep komt de bakkerij in. 'Ik heb de vitrine al leeggemaakt,' zegt hij. 'Eens kijken of het weer zo'n succes wordt!'

Een uur lang zijn ze bezig met het versieren van de cakejes. De prachtigste toppings ontstaan. Chocola, fruit, marsepein, hagelslag, muisjes… werkelijk alles wordt ingezet om de cupcakes te versieren. Ook dat schrijven ze in het schrift. Tegen drie uur zijn alle cupcakes klaar.

'Daar zijn ze,' roept Jan-Willem als ze de winkel in lopen met hun trays.

'Tjonge, die zien er mooi uit,' zegt Sep. Hij kijkt toe hoe Zilver en Melina de cupcakes in de vitrine zetten. De klanten die in de winkel staan, kijken nieuwsgierig.

'Verkoop je cupcakes, Sep?' vraagt een mevrouw.

'Ja, maar alleen op woensdag, mevrouw De Wilde.' Hij geeft Zilver een knipoog. 'Zijn ze niet mooi?'

'Wat enig!' Mevrouw De Wilde kijkt naar Zilver. 'Dat is je dochter, toch? Wat knap dat zij al zo jong meehelpt in de bakkerij. Mag dat wel, zo met die hete ovens?'

Er valt een stilte.

Zilver slikt. 'O, maar we brengen de cupcakes alleen even de winkel in, hoor. Het is ook zo druk vandaag.' Ze kijkt de mevrouw vriendelijk aan. 'U denkt toch niet dat wij...' Ze wuift met haar hand. 'Hoe komt u daar nu bij? Dat mag toch niet!'
Mevrouw De Wilde lacht. 'O, gelukkig. Ik dacht even dat jullie ze hadden gebakken.'
Sep legt een half witbrood op de toonbank. 'Wilt u verder nog iets?'
Mevrouw De Wilde loopt naar de vitrine toe. 'Doe mij er maar eentje,' zegt ze. 'Om te proeven.'
Zilver geeft haar vader een knipoog. 'Komt in orde, mevrouw. Mijn vader helpt u. Wij gaan lekker buiten spelen.'
'Ja,' zegt Sara. 'Kinderen hoeven lekker nog niet te werken.'
Mevrouw De Wilde knikt. 'Veel plezier, hoor!'
'Dank u wel.' Zilver loopt achter haar vrienden aan de winkel uit. 'Dag!'

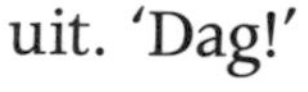

Als de deur achter haar dichtvalt, haalt ze opgelucht adem. 'Oei, dat was op het nippertje.'

Ze blijven voor de winkel staan.
'Wat doen we nu?' vraagt Sara. Ze ziet hoe Sep een van de cupcakes uit de vitrine pakt voor mevrouw De Wilde. 'Zouden we ze allemaal verkopen?' Ze doet een stap opzij om een meneer te laten passeren.
'Meneer, hebt u trek in een cupcake?' roept Melina. Ze springt voor de man, zodat hij wel moet stoppen.
'Ze zijn heerlijk en niet duur.'
'Opzij, meisje!' De man duwt haar opzij en loopt verder.
'Nou zeg!' Melina blaast lucht uit haar neusgaten. 'Hij keek niet eens.' Ze draait zich om. 'Dan niet!' roept ze.
Twee dames lopen langs. Ze zijn druk in gesprek en kijken niet naar de etalage.
'Zo wordt het nooit wat,' verzucht Sara als de dames uit het zicht zijn. 'Niemand weet dat er cupcakes te koop zijn.'
'We moeten reclame maken,' zegt Melina.
'Reclame?' vraagt Amy. 'Op televisie? Dat is toch hartstikke duur?'
'Nee, suffie. Op een bord.' Melina wijst naar het bord van de bakkerij dat al op straat staat. 'Zoiets.'

Sara knikt. 'Ja, een bord met: koop hier de lekkerste cupcakes.'

Jan-Willem knikt. 'Of: cupcakes voor maar één euro.'

'Hebben wij een bord dan?' vraagt Amy.

'Nee, maar dat kunnen we toch maken?'

'Waarvan? Van karton? Dat waait toch zo weg! En als het regent, gaat het stuk.'

'Van hout,' zegt Melina. 'We timmeren een echt bord. Twee borden schuin tegen elkaar aan. Dan weet iedereen dat er cupcakes te koop zijn.'

'Een bord van hout kunnen we elke week neerzetten,' zegt Zilver. 'Ik vind het wel een goed idee.'

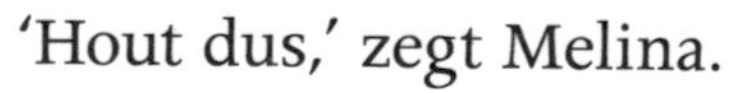

'Hout dus,' zegt Melina.

Amy schudt haar hoofd. 'Heb jij hout? Of wil je een boom omhakken?'

'Doe niet zo flauw,' zegt Melina. 'Denk even mee.'

'Maar we hebben geen hout,' zegt Sara. 'En ik ga het ook niet kopen.'

'Dat hoeft ook niet.' Jan-Willem lacht. 'Ik heb

hout. In onze schuur. Mijn vader heeft dat ooit een keer gekocht om een hondenhok te timmeren.'
'Je hebt helemaal geen hond,' zegt Zilver.
'Nee, daarom!' Jan-Willem lacht. 'Mijn moeder vindt vijf kinderen wel genoeg drukte in huis. Dus dat hout staat daar maar. Ik weet zeker dat we het mogen gebruiken.'
'Echt?' Melina balt haar vuist. 'Yes! Waar wachten we nog op?'

Tien minuten later klinken er zaag- en timmergeluiden uit de schuur van Jan-Willem. Ze zagen vier stokken van dezelfde lengte. Tussen twee stokken spijkeren ze een rechthoekige plaat. Zo ontstaan twee borden die ze schuin tegen elkaar aan kunnen zetten. Als een soort tent.
'Ze wiebelen wel,' zegt Amy.
'Ja, ze moeten ook aan elkaar vastgemaakt worden.' Jan-Willem loopt naar de werkkast. 'Eens kijken...' Hij rommelt wat in een schroevenbak. 'Hebbes!' Triomfantelijk houdt hij een scharnier omhoog. 'Deze maken we aan de bovenkanten vast. Dan kunnen ze buigen. Net als een deur.'

Terwijl de meiden de borden schuin tegen elkaar houden, schroeft Jan-Willem het scharnier vast.
'Laat maar los,' zegt hij als hij klaar is.
De meiden doen een stap naar achteren en bekijken het reclamebord.
'Gaaf!' zegt Sara.
'Hij is mooi!' roept Zilver. 'Nu de tekst.'
'Met verf.' Melina kijkt om zich heen. 'Heb je verf?'
Jan-Willem haalt zijn schouders op. 'Misschien in de kast?'
Ze vinden een halfleeg blik roze verf, en een klein potje rode en blauwe verf en een tube witte verf.
Ook een kwast is snel gevonden.
'Wat zetten we erop?' vraagt Sara.
'Cupcakes te koop,' roept Amy.
'Saai,' bromt Zilver. 'Het moet spannender. Dat ze het echt willen kopen.'
'Ja, dat ze nieuwsgierig worden,' zegt Melina. 'Dat ze willen weten hoe het smaakt.'
'Hmm,' mompelt Zilver. 'Spannend... nieuwsgierig... smaak...'
'Zoiets als een geheim,' zegt Melina. 'Dat wil je altijd weten.'
'Dat is het!' roept Zilver. 'Een geheim.' Ze pakt de

kwast. 'Goed idee, Melina.'
Melina's mond staat open. 'Huh? Wat bedoel je?'
Zilver doopt de kwast in de verf. 'We zetten erop: Te koop: cupcakes van geheim recept. Eén euro.'
'Maar...' Melina denkt na. 'Het is toch niet geheim? We hebben alles opgeschreven in dat schrift.'
'Ja, maar dat weten alleen wij. Dus is het geheim, toch?'
Jan-Willem lacht. 'Goed plan. Mensen vinden geheimen spannend.'
'Precies,' zegt Zilver.
Iedereen stemt in met de tekst en Zilver schildert de letters op het bord.

TE KOOP: CUPCAKES VAN GEHEIM RECEPT € 1,-

'Wacht, ik teken er cupcakes bij.' Amy pakt de kwast over en schildert een cupcake in elke hoek van het bord. 'Rood, wit, blauw en roze,' zegt ze. 'Lekker fleurig.'
Tevreden staren ze naar het reclamebord.
'Toppie!' roept Jan-Willem. 'Kom,

we brengen het naar de overkant.'
Voorzichtig tillen ze het bord de schuur uit. De verf is nog een beetje nat. Ze steken de straat over. Een auto toetert. De man achter het stuur draait zijn raampje open. 'Waar zijn die geheime cupcakes te koop?'
'Hier in deze winkel,' roept Zilver en ze wijst naar de etalage.
De man stuurt zijn auto naar een van de parkeerplaatsen. Hij stapt uit en loopt de winkel in.
'We zetten het bord voor de etalage,' zegt Sara. Ze plaatsen het reclamebord midden op de stoep.
'Zo, laat de mensen nu maar komen,' zegt Jan-Willem.
De deur van de winkel gaat open en de man komt naar buiten gelopen. Hij neemt net een hap van een cupcake. 'Mmm, heerlijk. Goed idee, jongens! Daar had ik wel trek in.' Hij stapt in zijn auto en rijdt weg.
'Niet te geloven,' mompelt Amy. 'Het werkt.'

Een mevrouw met een buggy blijft bij het bord staan. 'Wil jij een lekker

cakeje, Thomas?' De peuter in de buggy reageert enthousiast. 'Ja, ja, ja!'
De vrouw schiet de winkel in.
'Hee!' Een jongen op de fiets wipt de stoep op. Het is David. 'Vergadering?'
Kas komt achter hem aan en remt vlak voor de voeten van Jan-Willem. 'Ga je lekker?' Hij fluit. 'Vier meiden tegelijk... toe maar!'
David buigt iets opzij en kijkt naar het reclamebord. 'Hmm, zo te zien hebben jullie dit geknutseld?'
'Gaat je niets aan,' zegt Zilver. 'Ophoepelen.'
'Nou, nou, zo praat je niet tegen de klanten van je vader.' David zet zijn fiets in het fietsenrek. 'Ga je mee, Kas?'
De twee jongens stappen de winkel binnen.
'Ik vertrouw die gasten niet,' bromt Jan-Willem. 'Kom!' Hij opent de deur en de anderen volgen hem. De mevrouw met de buggy komt net naar buiten. Zilver houdt de deur voor haar open.
'Een halfje donkerbruin.' Sep geeft David het brood. 'Nog iets?'
David draait zich om naar de vitrine. 'Ja, die cakejes zien er wel heel lekker uit. En ook zo apart. Geen wonder dat u het recept geheim wilt houden.'

'Geheim?'
Zilver doet een stap naar voren. 'Ja, geheim recept. Toch, pap?'
Sep aarzelt, maar knikt dan. 'Eh... ja, geheim recept.'
David kijkt naar Zilver. 'Ken jij het recept?'
'Nee, tuurlijk niet. Mijn vader is de bakker, ik niet.' Zilver voelt dat haar vader naar haar kijkt. 'Wij hebben alleen het reclamebord gemaakt.'
'Reclamebord?' Sep loopt naar de etalage en kijkt naar buiten. 'Maar...' Hij draait zich om.
'Mooi toch?' roept Zilver. 'Vandaar.' Ze ontwijkt haar vaders blik. 'Wil je nog cupcakes kopen of niet?'
David schudt zijn hoofd. 'Eh, nee.'
Sep loopt naar de kassa. 'Dat is dan één euro twintig.'
'Jammer,' zegt Zilver. Ze slaat haar armen over elkaar heen. 'Ze zijn heel lekker, hoor.'
'Dat zal best, maar ik eet geen dingen die ik niet

ken.' Hij loopt naar de toonbank. Heel even kijkt hij naar Zilver. 'Maar als u mij vertelt wat erin zit, dan koop ik er misschien toch een paar.'
Zilver houdt haar adem in. Als haar vader nu maar niet...
'Dat is geheim, jongen,' zegt Sep.
'Ja,' roept Melina. 'Het geheim van de bakker.'

Wil je de recepten nog eens nalezen?
Cupcakebeslag: bladzijde 46 en 47
Cupcakecrème: bladzijde 72 en 73
Chocoladefiguren: bladzijde 80 en 81

Trek in meer cupcakes?

Kijk op www.decupcakeclub.nl voor grappige cupcakeweetjes en heerlijke recepten. Ook kun je van alles te weten komen over de boeken en schrijfster Marion van de Coolwijk. En vergeet niet mee te doen aan de cupcakewedstrijd. Misschien staat jouw recept straks in haar volgende boek!

De Cupcakeclub – De verdwenen taart ligt januari 2014 in jouw boekhandel.

Zilver en haar vriendinnen gaan cupcakes verkopen om geld in te zamelen voor een nieuw schoolplein. Een groot succes! De school houdt ook een veiling, waarvoor de club een supergrote cupcakes-taart maakt. Die wordt het hoogtepunt van de veiling, maar dan is de taart plotseling verwenen!

ISBN 978 90 261 3565 1